Anthologie de la littérature algérienne

1950-1987

INTRODUCTION, CHOIX, NOTICES ET COMMENTAIRES
DE CHARLES BONN

Le Livre de Poche

Charles Bonn, professeur à l'Université Paris-Nord (Villetaneuse), y est l'un des responsables du Centre d'Études francophones, et y dirige une équipe d'une cinquantaine de chercheurs sur les littératures maghrébines. Il a publié plusieurs livres sur la question, parmi lesquels *Le Roman algérien de langue française* (Paris, L'Harmattan, 1985), *La Littérature algérienne et ses lectures* (Ottawa, Naaman, 1974), *Lecture présente de Mohammed Dib* (Alger, ENAL, 1988), *Nabile Farès, la migration et la marge* (Casablanca, Afrique-Orient, 1986), *Nedjma de Kateb Yacine* (Paris, P.U.F., 1990).

Anthologie de la littérature algérienne

(1950-1987)

Introduction

La notoriété des principaux écrivains algériens a depuis longtemps dépassé le cadre de leur pays et de ses relations complexes avec la France. Certes, la décolonisation est ce grand mouvement de l'Histoire qui les a d'abord propulsés sur le devant de la scène politique et littéraire. Mouvement dont le souvenir ou les prolongements actuels hantent encore bien des mémoires et des comportements. Pourtant très vite les écrivains algériens se sont préoccupés de l'actualité de leur pays indépendant et de la modernité de leur écriture. Leurs textes sont souvent critiques. Mais la violence qui les dynamise porte autant sur les mécanismes de leur création que sur leurs cibles politiques ou sociales. Car la vraie révolution, pour un écrivain, est celle du langage. Aussi, au-delà d'un débat somme toute secondaire sur le choix de la langue (arabe ou française), la vraie question pour eux est-elle celle de la nouveauté et de la qualité de leur écriture. Les meilleurs écrivains algériens ont compris depuis longtemps qu'une littérature nationale de qualité n'existe comme telle que si elle sait s'affirmer hors du cadre étroit de la nation.

La littérature algérienne n'a pas attendu les années 50. Certains ne la font-ils pas remonter à saint Augustin le Numide ? Plus près de nous le XIXe siècle voyait déjà de prestigieux poètes, à la fois chefs de guerre et guides spirituels comme l'émir Abdelkader, ou encore Belkheir ou Bouamama, allier les thèmes de l'amour et de la foi avec celui de la résistance au colonisateur. Plus près de nous encore l'« école d'Alger », dont Albert Camus, Emmanuel Roblès, Jean Pélégri ou Jules Roy sont les noms les plus connus, célébrait une méditerranéité que les nationalistes algériens ont encore du mal à accepter comme la leur. Pourtant les premiers écrivains algériens proprement dits ont parfois trouvé là les encouragements et les possibilités de publication qui leur ont permis de s'affirmer dans leur spécificité par la suite.

C'est cependant au moment où la littérature algérienne de langue française commence à être perçue comme autonome, vers 1950, qu'on a choisi de faire débuter la présente anthologie critique. Car avec les nationalismes naissants qui préparaient déjà la décolonisation (la « Guerre d'Algérie », ou la « Révolution algérienne », suivant le point de vue duquel on se place, débute le 1er novembre 1954), c'est en fait à toute une mutation des mentalités vers la conscience d'un nouvel ordre mondial, politique et culturel, que l'on commence à assister au milieu du XXe siècle. Le présent choix de textes est donc résolument tourné vers la modernité.

Ce choix d'une époque récente, inséparable d'une dynamique de la décolonisation, privilégie de fait l'expression littéraire de langue française. C'est que la relative nouveauté de l'expression littéraire algérienne de langue française dans les années 50 lui permettait de s'inscrire d'emblée dans un débat de la modernité où elle devenait l'interlocuteur privilégié d'une gauche française tiers-mondiste qui lui donna accès également à des circuits d'édition puissants. Et de plus le genre littéraire le plus efficace, c'est-à-dire le roman, est d'origine européenne, même si des écrivains arabes comme l'Égyptien Naguib Mahfouz et quelques autres le pratiquaient déjà avec succès depuis plus d'une décennie. En Algérie, le genre romanesque s'illustrera surtout en arabe à partir des années 70, avec Tahar Ouettar et Abdelhamid Benhadouga principalement. On trouvera plusieurs extraits traduits de ces écrivains (surtout du premier) dans le présent recueil.

Ce développement récent d'une écriture romanesque algérienne de langue arabe, encore minoritaire face à une expression romanesque de langue française florissante, montre aussi que tous ces textes ne s'adressent plus prioritairement aujourd'hui à des lecteurs étrangers. Depuis la fin des années 60, le débat littéraire algérien, quelle qu'en soit la langue, est devenu essentiellement national. Pourtant le public étranger aussi se développe, et sa lecture de ces textes ne sera pas toujours la même. En Algérie on demande surtout à l'écrivain d'être un porte-parole et de jeter sur sa Société un regard critique. A l'étranger l'émergence de toutes les nouvelles littératures du tiers-monde est perçue comme un des phénomènes culturels majeurs de notre époque. Plus aucun écrivain ne peut plus l'ignorer, jusque dans sa manière d'écrire et dans le choix de ses thèmes.

CHARLES BONN.

Première partie

Littérature algérienne et décolonisation

1

Une description problématique

Dans l'Algérie colonisée et pendant la guerre d'Indépendance, on attend d'abord de l'écrivain qu'il montre l'existence de sa culture, puis qu'il dénonce l'injustice coloniale, surtout lorsqu'elle est en contradiction avec les enseignements humanistes de l'École française. C'est donc à une conscience internationale que cet écrivain s'adresse. Il se situe de ce fait dans un langage, romanesque ou poétique, qui est en grande partie celui de l'humanisme, c'est-à-dire d'une universalité supposée des valeurs et du langage. Ceci ne va pas sans une contradiction apparente, mais inévitable, avec le désir d'affirmer l'espace précis, localisé que proclame le nationalisme. Mais précisément l'actualité littéraire française de ces années 50 est à la remise en question de l'universalité supposée des langages « humanistes ». Dès lors une des raisons pour lesquelles *Nedjma*, de Kateb Yacine, semble l'œuvre dominante de cette période est peut-être la manière dont ce texte met en question le genre romanesque même dans lequel il s'inscrit, et par là les dépendances culturelles et politiques implicites que ce genre supposerait.

MOULOUD FERAOUN

Mouloud Feraoun n'est pas le premier écrivain algérien de langue française. Il est entre autres précédé de façon prestigieuse par Jean Amrouche. Mais il n'en représente pas moins pour la plupart des lecteurs le premier repère de la littérature algérienne de langue française en tant que telle. C'est depuis la scène « médiatique » française métropolitaine dont il faisait partie que Jean Amrouche parlait de l'Algérie de ses pères. L'itinéraire de Feraoun est davantage celui d'une entrée en littérature depuis un espace considéré généralement comme non littéraire, et qui accède à un langage par la petite porte. *Le Fils du pauvre* (1950), publié d'abord à compte d'auteur, n'a pas la prétention d'être une œuvre littéraire. Comme bien des textes issus d'espaces socioculturels non encore considérés comme littéraires, il se veut l'autobiographie d'un personnage représentatif (le titre même l'indique), à valeur purement documentaire. Et cette dimension est soulignée par la fiction du cahier d'écolier de l'instituteur Fouroulou Menrad (en fait anagramme de Mouloud Feraoun), que l'écrivain se contenterait de publier en l'état.

Pourtant, si ce texte se présente comme un témoignage sans prétention littéraire destiné à une lecture strictement documentaire, le héros représentatif de la société kabyle n'est pas resté « Fils du pauvre ». C'est parce qu'il est instituteur, comme Feraoun, qu'il peut nous raconter sa propre histoire, en veillant à être simplement « cohérent, complet, lisible ». Mais il glorifie de ce fait la « civilisation » qui l'a sauvé de la misère, lui qui vit « au milieu des aveugles ». Et il reproduit une écriture dont le système de références est celui de cette école française qui l'a façonné. Ce sera le principal reproche qu'adresseront à Feraoun certains intellectuels algériens militants. Cependant l'assassinat de l'écrivain par l'O.A.S. en 1962 va faire de lui une sorte de symbole, et une grande partie de la première génération d'enseignants d'après l'Indépendance se reconnaîtra en lui.

Le Fils du pauvre (1950)

Description telle que l'attend une lecture documentaire, même si elle nous séduit par ce sourire tendre qu'on retrouve dans une grande partie du roman, ce début du cahier de Fouroulou Menrad en illustre aussi les non-dits. Tout l'art du narrateur consiste à jouer sur un double système de références. D'une part, il partage le point de vue des « touristes », c'est-à-dire la culture européenne dont il fait partie comme auteur de roman. Mais de l'autre l'opposition entre le « vous » désignant les touristes et le « nous » par lequel il s'identifie aux Kabyles dont il est issu développe l'ambiguïté du projet littéraire : à la fois sujet et objet, le narrateur vise bien au témoignage direct, au document « de l'intérieur », mais dans un langage qu'il ne maîtrise que parce qu'il est sorti de l'espace pour lequel il parle ; parce qu'il est, comme écrivain et comme instituteur, un produit de la culture à laquelle il s'adresse. Pourtant le jeu malicieux de l'écrivain avec cet entrecroisement de points de vue ne nous invite-t-il pas d'avance à laisser là la lourdeur idéologique de certaines lectures ?

Le touriste qui ose pénétrer au cœur de la Kabylie admire par conviction ou par devoir des sites qu'il trouve merveilleux, des paysages qui lui semblent pleins de poésie et éprouve toujours une indulgente sympathie pour les mœurs des habitants.

On peut le croire sans difficultés, du moment qu'il retrouve n'importe où les mêmes merveilles, la même poésie et qu'il éprouve chaque fois la même sympathie. Il n'y a aucune raison pour qu'on ne voie pas en Kabylie ce qu'on voit également un peu partout.

Mille pardons à tous les touristes. C'est parce que vous passez en touristes que vous découvrez ces merveilles et cette poésie. Votre rêve se termine à votre retour chez vous et la banalité vous attend sur le seuil.

Nous, Kabyles, nous comprenons qu'on loue notre pays. Nous aimons même qu'on nous cache sa vulgarité sous des qualificatifs flatteurs. Cependant nous imaginons très bien l'impression insignifiante que laisse sur le visiteur le plus complaisant la vue de nos pauvre villages.

Tizi est une agglomération de deux mille habitants. Ses maisons s'agrippent l'une derrière l'autre sur le sommet d'une crête comme les gigantesques vertèbres de quelque monstre préhistorique : deux cents mètres de long, une rue principale qui n'est qu'un tronçon d'un chemin de tribu reliant plusieurs villages, conduisant à la route carrossable et par conséquent aux villes.

Cette rue principale garde sa largeur d'origine aux endroits où elle n'est murée que d'un côté : six bonnes coudées au moins. Comme, souvent, on a construit des deux côtés, elle a été grignotée et elle fait pitié dans sa prison de pierre. Elle étoufferait si elle ne laissait s'épanouir, de distance en distance, tantôt à droite, tantôt à gauche, des petits bras capricieux, des ruelles encaissées qui s'enfuient vers les champs.

En bonne logique, comment exiger qu'une rue faisant partie d'un chemin soit traitée autrement que ce chemin ? Pourquoi faut-il la paver si ce chemin ne l'est pas ? Ils sont tous deux poussiéreux en été ; elle est plus boueuse en hiver car elle est plus fréquentée. Pour la même raison, d'ailleurs, elle est continuellement plus sale. C'est la seule différence. Quant aux ruelles, elles lui ressemblent puisqu'elles sont ses filles.

Qu'on imagine à un certain endroit deux ruelles opposées qui partent du même point l'une à gauche, l'autre à droite. A cet endroit privilégié la rue est large. Est-ce par un hasard mystérieux ou une décision dont l'opportunité échappe à l'heure actuelle ? Nos aïeux n'ont pas construit aux quatre angles du carrefour : vous êtes sur la grand-place du village, la « place aux musiciens », notre *djema*. Elle est unique et le quartier d'en haut l'envie au quartier d'en bas. (pp. 12-13.)

On trouve ici une situation type, illustrant la rencontre entre les deux univers jusque-là hermétiques de l'enfant : l'école et la maison. Rencontre imprévue d'où jaillira toute la dynamique future de la destinée du narrateur. Si ce schéma n'est pas propre à Feraoun, il n'en illustre pas moins le rôle fondamental de l'école comme lieu de reconnaissance, pour ne pas dire de rédemption, du futur écrivain. D'ailleurs le roman s'achèvera de façon symbolique (dans sa réédition de 1954) sur l'entrée à l'École Normale d'Instituteurs, avènement de toute sa trajectoire.

Un soir, après quatre heures, ayant passé le reste de la journée avec des camarades, en dehors du village, je revenais à la maison, une petite flûte entre les doigts, essayant avec acharnement de retrouver un air que je venais d'apprendre. Mon père était sur le seuil de la porte, délaçant ses mocassins. Il arrivait du champ. Ma mère m'avait vainement recherché pour lui faire une commission et avait dû se plaindre de mon absence.

« Le voilà, dit-il, n'aie crainte, il te revient. Et avec une flûte ! Dieu merci, s'il n'apprend rien à l'école, il ne perd pas son temps avec ses camarades.

— Ah ! dit mon père. Je ne m'étonne plus que ton maître se plaigne de toi. Je le vois bien, tu es dissipé. C'est à cause de ta paresse qu'il ne t'a pas changé de division, il me l'a dit. »

C'était en effet ma deuxième année d'école et j'étais toujours dans le même cours. Cette révélation inattendue me surprit beaucoup. Apparemment, le maître avait parlé de moi à mon père. Moi qui croyais passer inaperçu parmi la cinquantaine de camarades qui formaient la classe, voilà qu'il se rendait compte de mon travail, qu'il me connaissait particulièrement, qu'il connaissait mon père ! C'était donc qu'il connaissait tous ses élèves ! Certainement, il aimait les bons et détestait les mauvais. Pourtant, il n'y avait aucun indice visible qui montrât qu'il nous différenciait. J'avais beau réfléchir, je ne trouvais pas. Tant pis, il fallait se rendre à l'évidence. Il avait dit à mon père que j'étais un mauvais élève... Mon père pensait m'avoir fait de la peine par le ton sévère qu'il avait pris. Au fond, j'étais presque heureux de constater qu'il s'intéressait à ce que je faisais, qu'il était peiné de me voir parmi les traînards et qu'il partageait cette peine avec le maître. Cette petite réprimande me fit prendre mon rôle au sérieux. J'exagérai mon importance. En réalité, mon père était plus fâché de ma flânerie que de ma mauvaise place à l'école. Je suis bien certain que c'est tout à fait par hasard, au cours d'une conversation ordinaire, grâce à une association d'idées quelconque, que l'instituteur avait parlé de moi à mon père. N'empêche ! Cette scène décida de mon avenir d'écolier : à partir de ce jour, je devins bon élève, presque sans effort. (pp. 55-56.)

La Terre et le Sang (1953)

Dans *La Terre et le Sang*, Feraoun passe de l'autobiographie-témoignage au roman proprement dit, même si ce roman est en partie prétexte à décrire la vie kabyle. On peut cependant se demander pourquoi ce roman qualifié d'« ethnographique » a pour personnage central un ancien émigré rentré au pays avec Marie, sa femme française. Même si après son retour, « sa longue absence n'a plus » pour Amer « d'autre signification que celle d'une parenthèse gigantesque, impuissante à changer le sens général d'une phrase » (p. 13), cette légère différence qu'elle installe entre lui et les autres Kabyles ne serait-elle pas la condition pour qu'il puisse y avoir intrigue romanesque, et au-delà, « description ethnographique » ? La semi-différence d'Amer et de Marie permet d'introduire avec eux le regard extérieur du lecteur occidental dans un village qui, sans ce prétexte narratif, y serait resté fermé. Elle provoque peut-être aussi l'effraction de la relation amoureuse interdite entre Amer et sa cousine Chabbha. Transgression d'un ordre traditionnel qui déstabilise et révèle cet ordre tout en introduisant aussi, par cette rupture, le tragique.

Pour l'amener à se réconcilier avec son oncle Slimane, dont il avait tué accidentellement le frère au fond d'une mine du Nord de la France, le vieux Ramdane a entraîné Amer loin de la *djema*, au cimetière. Nul lieu ne se prête mieux au règlement d'une querelle tribale où les vivants portent l'honneur des morts, car son ordonnance révèle toute l'organisation sociale du village.

« Notre cimetière a changé, dit Amer.

— Forcément. Il s'agrandit petit à petit, comme le village. Et puis aussi les tombes se transforment. Tu vois ? Toutes les nouvelles sont plus hautes. Certaines sont recouvertes de ciment. Il y a même des inscriptions... en français. Des noms. Et l'âge aussi, peut-être. Je ne sais pas lire, moi.

— Tu les connais toutes, je parie.

— Forcément. A mon âge ! Ce sont surtout les vieilles qui nous embarrassent. Mais nous sommes quand même assez nombreux à les connaître à peu près toutes. Plus tard, je ne dis pas. Vous aurez des difficultés à vous y retrouver, vous et vos enfants.

— Ce n'est pas bien malin. Je n'ai besoin que de quelques précisions. Écoute, dada Ramdane, voilà les tombes des marabouts[1], faciles à reconnaître parce qu'elles sont groupées autour de celle de cheikh[2] Elhocine, la plus haute de toutes, celle sur laquelle nous nous trouvons. Le long du sentier gauche ce sont les Aït-Belkacem, à côté des Issoulah, puis les Aït-Larbi.

— Oui, avec la tombe de ton père Kaci. Tu l'as déjà vue, n'est-ce pas ?

— De l'autre côté, c'est l'autre quartier. Bien sûr que je les reconnais. Mais je ne pourrais pas les distinguer toutes. Pour ce qui est des Aït-Larbi, c'est gravé dans ma tête, depuis mon jeune âge.

— Tu vois, Amer, ici c'est comme au village. N'est-ce pas ? On retrouve à peu près la même disposition

1. Ermites dont le tombeau est lieu de pèlerinage.
2. Lettré religieux, chef de tribu.

par *karouba*[1] et par famille. Le cimetière est l'ombre fidèle d'Ighil-Nezman. Mais en réalité, c'est le contraire qui est juste. Le vrai village, ce n'est pas celui qui se dresse fièrement sur la crête. C'est celui-ci : figé dans notre terre, immobile et éternel mais peu effrayant à mon avis, parce que nous le connaissons bien, nous les vivants. Nous nous habituons chacun à notre place et nous n'avons pas peur d'y venir. Tu vois, je suis vieux. Ma place est là, à cinquante pas. Parfois, il m'arrive de m'imaginer sous la dalle entourée de tous les anciens et sentant vivre les jeunes. Oh ! Amer, notre terre n'est pas méchante. Nous en sortons et nous y retournons. C'est tout simple. Elle aime ses enfants. Quand ils l'oublient trop, elle les rappelle. Cela aussi, tu le sais ; n'est-ce pas ? » (pp. 114-115.)

MOULOUD MAMMERI

Si les romans de Mouloud Mammeri ont été comme ceux de Feraoun classés dans ce « courant ethnographique » par lequel on fait généralement commencer la littérature algérienne de langue française, l'écrivain est aussi l'un des meilleurs ethnologues, au sens universitaire du terme, de la culture kabyle dont il est issu. Cet intérêt pour la diversité culturelle de son pays lui vaut encore parfois l'hostilité des tenants d'un discours nationaliste figé par l'affirmation « intégriste » de l'identité. A moins que ce ne soit l'inlassable lucidité de l'intellectuel ne se satisfaisant pas de réponses toutes faites ?

Premier roman publié de cet auteur, *La Colline oubliée*, avait déjà suscité une polémique aussi violente

1. Tribu : ensemble de familles ayant un ancêtre commun à la 4e ou 5e génération.

qu'injuste. L'écrivain n'y narrait-il pas l'inexorable mort d'une civilisation traditionnelle en proie à l'irruption de la modernité ? Plus qu'un autre, en effet, Mouloud Mammeri est sensible au tragique de la mort des civilisations, et cette dimension tragique donne précisément à ses textes littéraires leur grandeur.

La Colline oubliée (1952)

Le village de Tasga est frappé par une malédiction qui n'est pas sans rappeler celles que subissent les cités grecques dans la tragédie. Dans ce passage la référence implicite au début d'*Œdipe-Roi* de Sophocle peut se lire. Et dans une certaine mesure la mort de Mokrane tentant en vain de revenir au village qu'il a quitté, sur laquelle se clôt le roman, entre dans la même logique. Cette dimension tragique, dès lors, transcende à la fois la description réaliste et l'analyse politique, pourtant présentes, pour donner au texte un souffle qui lui est propre.

Depuis longtemps en effet, notre cité souffrait d'une maladie étrange, insaisissable. Elle était partout et nulle part ; elle semblait disparaître quelques mois, puis fondait brusquement, terriblement, comme pour rattraper le court moment de répit qu'elle nous avait laissé. On avait essayé tous les remèdes ; rien n'y faisait, d'autant plus que nul ne savait exactement qu'elle était la cause du mal, quel saint on avait offensé, en quoi les jeunes avaient dépassé la juste mesure ou les vieux fait à l'assemblée des raisonnements faux et pris des décisions injustes.

Deux ans de suite toutes les sources avaient tari, et il avait fallu descendre chercher l'eau très bas, dans la vallée. La grêle avait brûlé le blé en herbe ; on avait éteint dans le même été quatre incendies à quelques jours d'intervalle dans la même forêt d'Ifran. Les enfants ne se battaient plus ; ils s'asseyaient en rond sur la place, comme les vieux, et parlaient d'automobiles ou du prix des denrées ; ils ne jouaient pas, comme nous jadis, aux chacals, aux sangliers, aux jeux aventureux qui nous menaient jusqu'à Aourir et plus loin ; il n'était jamais question parmi eux de batailles à coups de pierre ; et les vieux qui nous les interdisaient à cause des blessures dans les champs, finirent par regretter que nulle troupe jamais ne couchât les moissons dans sa course rapide. Il naissait toujours autant d'enfants, mais c'étaient surtout des filles ; il y avait aussi beaucoup de morts, mais c'étaient plutôt des garçons qui mouraient. [...]

Alors les rues vidées des groupes bruyants, brutaux et gais de tous ces jeunes gens partis gagner de l'argent devinrent propres et froides. Les jeunes filles, que personne n'attendait maintenant sur les places, ne cherchaient plus que le nombre exact de cruches qu'il leur fallait, alors qu'autrefois elles repassaient si souvent qu'elles devaient, comme disait Ouali, verser leur eau dans des jarres percées ; encore ne venaient-elles que lentement et sagement et aux fontaines les plus proches, au lieu que jadis elles riaient et se détournaient et allaient chercher l'eau de l'autre côté du village. Et les fontaines et les chemins, privés des rires et des jeux des jeunes filles, étaient devenus austères et sereins comme les raisonnements des sages. (pp. 32-35.)

Cette malédiction est pourtant due essentiellement à la blessure d'une modernité bien concrète : la mobilisation des jeunes gens dans l'armée française, pour une guerre lointaine (1939-1945) qui n'est pas la leur. Mais là encore la rencontre entre deux ordres culturels est le prétexte à un récit d'une grande poésie épique.

De temps à autre, un flambeau perçait l'obscurité. On distinguait à peine la main qui le tenait ; un bruit de pas sur le sol, des bribes de phrases m'arrivaient quand le vent soufflait de mon côté : « Tu écriras... As-tu pris ton chandail ?... Va, tu as bien le temps... »

Des lumières brillaient sur toutes les collines alentour. La nuit tout entière était tachetée de points blancs.

Cela dura bien une heure, puis tout retomba dans le silence et l'obscurité de tout à l'heure, comme si tous les flambeaux s'étaient éteints, toutes les portes et toutes les bouches fermées, tous les pas arrêtés. On n'entendait même plus le froufrou que les poules faisaient en battant des ailes ; tout se taisait, s'arrêtait comme si tous ces bruits prématurément sortis de l'ombre se dépêchaient d'y rentrer.

Brusquement, un cri rauque, prolongé comme d'un animal ou de quelqu'un qui a reçu un coup de couteau par-derrière, coupa le silence.

« Mouloud, mon fils. »

Aussitôt, des milliers d'autres cris de bêtes traquées répondirent, comme s'ils n'attendaient que ce signal pour partir. Ils fusaient d'Aourir, de Tasga, de Tala, de partout, se coupaient, se relayaient, se couvraient, se doublaient, semblaient ne mourir que pour repartir de plus belle. De toutes les collines alentour, les mêmes lamentations gutturales venaient mourir sur Tasga et joindre leurs notes affaiblies au concert funèbre des voix de toutes les femmes de notre village. Tous les noms y passaient : Kaci, Saadi, Meziane. On les pleurait tous comme s'ils étaient déjà morts. La nuit répercutait sans fin et démesurément le timbre de ces cris de femelles à qui l'on enlève leurs petits, et l'ombre rendait plus terrifiants encore ces innombrables voceros[1]. De presque toutes les portes de nouveau les flambeaux jaillirent, éclairant cette fois des groupes, où l'on entrevoyait vaguement des silhouettes de femmes se battant le visage ou les mains. Plus personne ne pensait au respect des convenances et dans le deuil à la fois immense et général qui

1. *Vocero* (pluriel *voceri*) : mot corse désignant le chant funèbre d'une pleureuse pour un défunt.

frappait tout Tasga, les femmes de toutes les maisons coudoyaient tous les hommes dans la rue. C'était l'heure où partaient les mobilisés.

C'est que tout avait changé depuis que les hommes devaient partir. Alors seulement l'histoire dont on se faisait chaque fois raconter les épisodes enivrants devenait une réalité. C'était donc cela la guerre ! Tasga ne se remettrait pas du mal dont elle souffrait, quand tous les jeunes capables de travailler à sa guérison seraient partis. L'extériorisation barbare de ce deuil avait quelque chose de terrifiant et beau. Le cortège funèbre passa sous ma fenêtre. Le cheikh ouvrait la marche. Je distinguais à peine sa voix grave, couverte par les gémissements des femmes, les pleurs des petites filles. De loin en loin des hommes, qui étaient trop âgés pour être mobilisés, passaient, graves et impassibles ; les pas claudicants de Na Ghné fermaient la marche. (pp. 42-44.)

L'ethnologue est cependant présent derrière le poète, par exemple pour décrire la rituelle traversée de la rivière en crue pour récolter les olives. Mais au lieu de s'en tenir à souligner la différence par rapport à la logique européenne, de ce refus des ancêtres de construire un pont, c'est en poète tragique, encore une fois, que Mammeri trouvera la signification sacrificielle du rite.

Chaque matin avant l'aurore, avant que le cheikh du haut de la mosquée eût appelé à la prière de l'aube, bêtes et gens dévalaient par groupes chamarrés et bruyants le chemin tortueux, caillouteux et à pic qui descendait à la rivière. Les femmes se paraient comme pour la fête et d'un groupe à l'autre se répondaient les tintements métalliques de leurs bijoux d'argent. Les hommes gardaient leurs habits de travail, la plupart avaient des fusils. Les sabots usés des ânes et des mulets heurtaient avec un son mat les cailloux de la route. Dans la pénombre décroissante du jour naissant, par des matinées d'hiver très fraîches, la longue procession d'hommes armés, de femmes parées, de bêtes chargées descendait à la rivière comme pour l'accomplissement d'un rite. Il flottait dans l'air à la fois une odeur de poudre, de crottin et le parfum des giroflées dont les femmes avaient orné leurs colliers.

Arrivés au bord de la rivière, les premiers groupes attendaient les derniers, car c'est tous ensemble que l'on traverse la rivière, que l'on communie avec l'eau purifiante, parfois traîtresse. Comme il y avait deux gués on se partageait selon la position des propriétés, chacun empruntant le gué qui menait le plus directement chez lui, puis les jeunes gens et les hommes faisaient traverser les femmes, les enfants et les bêtes. Certains étaient plus habiles que d'autres : le grand Ouali et jadis Mouh avaient de véritables diplômes de traversée. On avait un vague mépris pour ceux qui, quand la rivière était trop haute, revenaient sans oser s'y engager. Des novices pour ne pas encourir cette honte ont été emportés par le courant et, souvent, la rivière « mange » de jeunes bergers. Tout le village descend alors le fil de l'eau pour voir où la rivière aura « craché » la victime expiatoire. Souvent c'est après plusieurs jours que ceux de la tribu en aval viennent dire qu'un cadavre a été rejeté chez eux sur la grève. Les jeunes gens vont le ramener sur une claie de roseaux, pendant que les vieillards devant eux chantent le chant de ceux qui sont morts loin de leur village, et l'hiver suivant les mêmes hommes recommencent le même rite indéfiniment. (pp. 88-89.)

MOHAMMED DIB

L'œuvre de Mohammed Dib, probablement le plus grand écrivain algérien, est trop souvent limitée par les critiques comme par l'institution scolaire à la trilogie de ses trois premiers romans, *La Grande Maison*, *L'Incendie* et *Le Métier à tisser*. Si ces trois romans décrivent en effet les réalités quotidiennes de l'Algérie colonisée, tant citadine dans le premier et le dernier, que rurale dans *L'Incendie*, à travers l'évolution symbolique d'Omar, dans trois âges successifs de sa vie comme de la conscience nationale, ils dépassent cependant déjà de loin la seule description réaliste. D'emblée ils dénoncent le colonialisme, tout en montrant la progressive prise de conscience du peuple algérien.

Mais ce serait manquer ce qui fait la dimension proprement littéraire de cette œuvre, que de la limiter à la description et à la dénonciation. Dès cette trilogie en effet, la question essentielle, pour l'écrivain, est celle des pouvoirs de la parole. La prise de conscience du peuple algérien n'est pas simplement décrite dans cette trilogie comme un objet. Elle est narrée à travers les différentes étapes d'une accession à la parole, enjeu et condition du pouvoir. Seule une maîtrise des langages permet la conscience de sa situation, et l'action éventuelle. Or, la maîtrise ou l'efficacité de la parole est aussi la question majeure de tout écrivain. Si, dans cette trilogie, Dib veut faire œuvre politique, il s'interroge en même temps sur l'efficacité et la nature même de la littérature comme de l'idéologie. Ces trois romans montrent donc les mécanismes par lesquels des gens simples arrivent progressivement à la maîtrise de la parole, et s'interrogent sur la possibilité de dire une réalité qui a toujours échappé à la littérature.

La Grande Maison (1952)

On a vu avec Feraoun combien le discours romanesque algérien des débuts était lié à celui de l'école française. Et de fait la découverte de cette école de la différence est une sorte de parcours obligé pour la plupart des jeunes héros de ces premiers romans. Mais si chez

Feraoun le discours de l'écrivain épouse souvent celui de l'école et ses valeurs, on verra dans cet extrait du premier roman de Dib combien ce discours est distancié et mis en spectacle à travers la naïveté-prétexte d'Omar comme à travers le non-dit de l'instituteur algérien.

M. Hassan ouvrit la leçon.

« La patrie est la terre des pères. Le pays où l'on est fixé depuis plusieurs générations. »

Il s'étendit là-dessus, développa, expliqua. Les enfants, dont les velléités d'agitation avaient été fortement endiguées, enregistraient.

« La patrie n'est pas seulement le sol sur lequel on vit, mais aussi l'ensemble de ses habitants et tout ce qui s'y trouve. »

Impossible de penser tout le temps au pain. Omar laisserait sa part de demain à Veste-de-kaki. Veste-de-kaki était-il compris dans la patrie ? Puisque le maître disait... Ce serait quand même drôle que Veste-de-kaki... Et sa mère, et Aouicha, et Mériem, et les habitants de Dar-Sbitar ? Comptaient-ils tous dans la patrie ? Hamid Saraj aussi ?

« Quand de l'extérieur viennent des étrangers qui prétendent être les maîtres, la patrie est en danger. Ces étrangers sont des ennemis contre lesquels toute la population doit défendre la patrie menacée. Il est alors question de guerre. Les habitants doivent défendre la patrie au prix de leur existence. »

Quel était son pays ? Omar eût aimé que le maître le dît, pour savoir. Où étaient ces méchants qui se déclaraient les maîtres ? Quels étaient les ennemis de son pays, de sa patrie ? Omar n'osait pas ouvrir la bouche pour poser ces questions à cause du goût du pain.

« Ceux qui aiment particulièrement leur patrie et agissent pour son bien, dans son intérêt, s'appellent des patriotes. »

La voix du maître prenait des accents solennels qui faisaient résonner la salle.

Il allait et venait.

M. Hassan était-il patriote ? Hamid Saraj était-il patriote aussi ? Comment se pouvait-il qu'ils le fussent tous les deux ? Le maître était pour ainsi dire un notable ; Hamid Saraj, un homme que la police recherchait souvent. Des deux, qui le patriote alors ? La question restait en suspens.

Omar, surpris, entendit le maître parler en arabe. Lui qui le leur défendait ! Par exemple ! C'était la première fois ! Bien qu'il n'ignorât pas que le maître était musulman, — il s'appelait M. Hassan, — ni où il habitait, Omar n'en revenait pas. Il n'aurait même pas su dire s'il lui était possible de s'exprimer en arabe.

D'une voix basse, où perçait une violence qui intriguait :

« Ça n'est pas vrai, fit-il, si on vous dit que la France est votre patrie. »

Parbleu ! Omar savait bien que c'était encore un mensonge.

M. Hassan se ressaisit. Mais pendant quelques minutes il parut agité. Il semblait être sur le point de dire quelque chose encore. Mais quoi ? Une force plus grande que lui l'en empêchait-elle ?

Ainsi, il n'apprit pas aux enfants quelle était leur patrie. (pp. 22-23.)

Dans « Dar-Sbitar », cette « grande maison » citadine où Omar vit avec sa mère et de nombreuses familles misérables comme eux, l'illettrisme et la promiscuité, comme le souci de la faim quotidienne, ne favorisent pas la prise de conscience. Pourtant Omar, sans quitter sa logique d'enfant, arrive peu à peu à prendre ses distances d'avec la résignation générale, grâce entre autres à la présence de Hamid Saraj, militant communiste et lettré.

Aïni déclarait souvent :

« Nous sommes des pauvres. »

Les autres locataires l'affirmaient aussi.

Mais pourquoi sommes-nous pauvres ? Jamais sa mère ni les autres ne donnaient de réponse. Pourtant c'est ce qu'il fallait savoir. Parfois les uns et les autres décidaient : C'est notre destin. Ou bien : Dieu sait. Mais est-ce une explication, cela ? Omar ne comprenait pas qu'on s'en tînt à de telles raisons. Non, une explication comme celle-là n'éclairait rien. Les grandes personnes connaissaient-elles la vraie réponse ? Voulaient-elles la tenir cachée ? N'était-elle pas bonne à dire ? Les hommes et les femmes avaient beaucoup de choses à cacher ; Omar, qui considérait cette attitude comme de la puérilité, connaissait tous leurs secrets.

Ils avaient peur. Alors ils tenaient leur langue. Mais de quoi avaient-ils peur ?

Il en connaissait, des gens comme sa famille, leurs voisins et tous ceux qui remplissaient Dar-Sbitar, des maisons comme celle-là et des quartiers comme le sien : tous ces pauvres rassemblés ! Combien ils étaient nombreux !

« Nous sommes nombreux ; personne qui sache compter suffisamment pour dire notre nombre. »

Une émotion curieuse le pénétra à cette pensée.

Il y a aussi les riches ; ceux-là peuvent manger. Entre eux et nous passe une frontière, haute et large comme un rempart.

Ses idées se bousculaient, confuses, nouvelles, avant de se perdre en grand désordre. Et personne ne se révolte. Pourquoi ? C'est incompréhensible. Quoi de plus simple pourtant ! Les grandes personnes ne comprennent-elles donc rien ? Pourtant c'est simple ! simple !

C'est simple.

L'enfant continuait : c'est simple. Cette petite phrase se répercutait dans son cerveau endolori et semblait ne point devoir s'évanouir.

« Pourquoi ne se révoltent-ils pas ? Ont-ils peur ? De quoi ont-ils peur ? »

Elle se précipitait dans sa tête à une allure vertigineuse.

Pourtant, c'est simple, c'est simple !

Une dérive sans fin... Et voilà que le souvenir de Hamid parlant à une très grande foule se dresse dans son esprit. Hamid disait : Pourtant, c'est simple. (pp. 117-118.)

L'Incendie (1954)

Omar adolescent est allé passer des vacances à la campagne, ce qui permet à sa mère d'avoir une bouche de moins à nourrir, et à l'écrivain de montrer la lente prise de conscience des paysans, dont l'univers et la parole sont encore plus éloignés d'une idéologie révolutionnaire que ceux des citadins misérables de *La Grande Maison*. La description de Bni Boublen par Dib peut être comparée à celle du village kabyle par Feraoun. Mais outre que le regard extérieur n'est désigné ici que par le « on » de la première ligne, cette mise à distance va d'emblée servir à souligner, d'une part la misère, et d'autre part l'étrangeté fondamentale de cet espace par rapport à toute parole inscrite dans l'Histoire. Le surgissement d'une parole paysanne politisée sera donc ce paradoxe *a priori* dont le roman va s'attacher à montrer les étapes.

Au sentiment aigu qu'on ressent dans ces parages, on devine qu'on vient de passer une frontière, qu'on pénètre dans la solitude. Dès lors on avance dans une lande où le vent fait crépiter les éventails épineux des palmiers nains, et que des touffes de genêts épanouis semblent éclairer. Au nord, la plate-forme d'es-Stah, labourée et ensemencée, avant de céder devant les terres vierges, prête appui à la partie de Bni Boublen — tout Bni Boublen inférieur — qu'occupent les fellahs[1]. Ces hommes vivent à la lisière des bas-fonds

1. Paysans sans terre.

cultivables, fixés sur la montagne, déjà relégués du monde. Pourtant trois kilomètres seulement les séparent de Tlemcen.

Leur existence se passe en journées agricoles et pastorales chez les colons. Elle est si archaïque, et les gens se montrent si simples, qu'on les croirait issus d'un continent oublié. La terre là-haut, intraitable et sans eau, étouffe dans la garrigue : la griffe de l'antique araire[1] a peine à l'entamer.

Les fellahs sont souvent en proie à la famine. La nuit, quand les masures s'enfoncent dans les ténèbres, les chacals errent et hurlent à la mort. Mais la sévère physionomie de la montagne revêt quelquefois une grâce furtive. C'est lorsqu'on tombe sur des bandes impétueuses d'enfants, hâves et déguenillés, qui s'ébattent avec allégresse dans la boue ou la poussière des chemins.

La civilisation n'a jamais existé ; ce qu'on prend pour la civilisation n'est qu'un leurre. Sur ces sommets, le destin du monde se réduit à la misère. Les fantômes d'Abd El Kader[2] et de ses hommes rôdent sur ces terres insatisfaites. Face à d'imposants domaines, suffoquent les noires cagnas[3] des fellahs. Pour qui songe à l'avenir...

Mais nous ne sommes encore qu'en 1939. En été 1939. (pp. 7-8.)

Comme très souvent dans *L'Incendie*, l'essentiel ne peut être dit par une parole transparente, qui se contenterait de le nommer et de l'analyser. Les mécanismes du parler paysan sont différents. Mais en même temps la langue française et la forme romanesque empêchent de toute façon une restitution réaliste de ces mécanismes. Dès lors l'écrivain, au lieu de tenter un réalisme impossible et trompeur, assume l'étrangeté

1. Charrue rudimentaire dans l'antiquité latine (du latin *aratrum*).
2. Chef religieux et militaire le plus connu de la résistance à la colonisation, surtout de 1839 à 1843. Sa reddition date de 1847.
3. Cabane (argot militaire français).

de sa propre parole poétique pour la développer comme une sorte de langage intermédiaire de convention parallèle à celui qu'utilisent les paysans dans la réalité. Et ce non-réalisme affiché suggère finalement de façon bien plus précise le dire paysan que ne l'aurait fait une impossible description.

Les paysans de *L'Incendie* se sont pour la première fois mis en grève. Mais leur mouvement a été brisé par l'incendie mystérieux de leurs gourbis, et par une terrible répression.

Les autres comprenaient qu'il ne restait qu'une chose à faire : tenir bon. Azouz avait perdu sa femme dans l'incendie. Il fallait tenir à tout prix, envers et contre tout.

Azouz sursauta. Il parut soudain se ressouvenir de quelque chose. Il dit :

« Frères, je demande votre pardon. Pourquoi est-ce que je reste ici à parler ?... Ou à me taire ? J'ai été accueilli dans cette maison : béni soit mon hôte. Mais je n'ai plus rien à faire ici. Cette maison n'est pas la mienne. Il faut que je parte. Dieu doit voir toutes ces choses, mais en des moments comme celui-ci son silence est effrayant. »

Il fit effort pour se lever. Il y eut des protestations.

« Reste, Azouz, reste !

— Tu ne t'es pas reposé. Repose-toi un peu.

— Reste », dit un autre.

Ournidi le propriétaire du gourbi assura :

« Tu es chez toi, en ce lieu. »

Slimane Meskine qui était roulé sur lui-même à l'entrée de la cabane se rapprocha d'Azouz sans prendre la peine de se lever, en se traînant seulement sur les mains.

« Écoute :

Les montagnes patientent encore,
Les rivières patientent
Et nous passerons le soir ;
La mariée future tisse la tunique

— De quelle navette
Tisses-tu le linge
Dans lequel nous irons à loisir
De la jeunesse à l'âge mûr ?»

Slimane subitement interrogea l'homme d'un regard où se lisait une ardente prière. Azouz s'enveloppait de silence. Il ne devait rien refuser, ni surtout refuser l'amitié des hommes. Aussi Slimane, joignant les deux mains devant son visage, reprit-il son acte d'espérance dans un débit rapide et uni :

Servante aux mains et aux pieds tavelés
Qui étends des toiles fraîches
Pour nous tailler des chemises,
Des chemises à effacer les souffrances
Qui nous feront moins mal à porter,
Je m'incline devant tes mains et tes pieds ;

Je place en ta garde
L'homme et le mouton,
La joie et la patience,

Impérieux, Slimane exigeait à présent une réponse. Les fellahs qui inclinaient la tête attendaient aussi. Un regard perdu, insaisissable, flottait dans la prunelle d'Azouz. A la longue, il soupira et dit :

— Dieu ne nous permet pas, à nous musulmans, de tomber dans le désespoir.

L'offrande et le cœur,
Toutes les mains habiles,
Tout ce qui a été fait
Par vous, bon ouvrier,
Bon paysan, bonne fileuse,
Bonne mère de famille.

Et Slimane reprit :

Je place en ta garde
Les temps de bonté
Je chante pour dire

Grands jours d'apaisement
Que vous reviendrez ; —
Nous dresserons notre table
Sur la place publique :
Je m'incline devant toi,
Les montagnes patientent,
Les rivières patientent. (pp. 135-137.)

REDA HOUHOU

A la même époque, le représentant le plus intéressant de la littérature algérienne de langue arabe est Reda Houhou, qui fut d'ailleurs assassiné dès 1956 par un groupe paramilitaire français, comme Feraoun le sera par l'O.A.S. en 1962.

Son œuvre la plus connue est son recueil d'*Entretiens avec l'âne d'Al Hakim*, où, sous forme de brefs dialogues fictifs, il développe un humour caustique et lapidaire qui n'épargne aucun des travers de sa société.

Un entretien avec l'âne d'Al Hakim (1953)

« J'ai dit : nos problèmes sont nombreux et notre vie est compliquée ; mais ça ne fait rien ; de quel sujet voudrais-tu qu'on discute ?

— A toi d'en proposer un.

— Non... toi. »

Il dit avec malice : « Tu es très prudent... parlons de politique. »

J'ai dit : « Laissons de côté la politique, toi l'âne politique... elle n'a pas encore mûri dans notre pays, car elle dépend encore beaucoup plus des intérêts personnels et des haines individuelles que des principes, des idées ou de l'intérêt général ; je ne voudrais pas me souiller avec sa boue. »

Tout en se grattant la nuque avec son sabot, l'âne dit :

« Veux-tu qu'on discute du problème de la femme ?

— Tu peux être tranquille sur ce point, il n'y a pas de femmes dans notre pays.

— C'est très étrange, vous vivez sans femmes ! Comment procréez-vous ? »

J'ai dit : « Nous avons des machines à procréation que nous gardons dans nos maisons. »

Il dit : « C'est un problème fort compliqué, laissons-le de côté et venons-en à un autre sujet : la jurisprudence islamique, par exemple. J'ai là-dessus des idées nouvelles qui seraient très utiles.

— Je crois que tu devrais les garder pour en débattre avec nos juristes ; peut-être que tu leur apprendrais du nouveau.

— Parlons alors de la religion.

— Quelle religion ?

— De la religion musulmane, bien sûr.

— Je comprends ; est-ce que tu veux parler de la religion de l'État ou de celle du peuple, de la religion officielle ou de la religion libre ?

— C'est curieux, vous avez donc plusieurs religions ?

— Non, deux seulement... une religion officielle dirigée par l'État et protégée par ses hommes, les employés des mosquées et des sectes religieuses, et une religion libre, celle que le peuple suit et qui est soutenue par les réformateurs. » [...]

Extrait traduit par Aïda Bamya.
(*Europe*, Paris, n°s 567-568,
juillet-août 1976, pp. 67-68.)

2

Le procès de l'humanisme

Comme on l'a vu, la description ethnographique tient peut-être moins de place dans la « génération de 1952 » des romanciers algériens, que ce qu'on a coutume de le dire. Il n'en reste pas moins vrai que le déclenchement de la lutte armée en 1954 contribuera à faire s'interroger les écrivains de langue française de façon plus explicite sur leur place et leur véritable identité d'intellectuels. L'actualité de l'époque fera donc parler soudain de « l'acculturation » de ces intellectuels séparés de leur culture maternelle et s'exprimant dans celle du colonisateur. On dénoncera ainsi, à la suite de J.-P. Sartre, Frantz Fanon et Albert Memmi, l'aliénation de l'intellectuel colonisé. Et les écrivains feront le procès d'un humanisme de l'école française qui les a séduits sans pour autant tenir ses promesses.

Dans le contexte politique de l'époque, une telle attention à ce thème de la double culture subie comme une perte est compréhensible. Elle méconnaît cependant le fait que, dès leurs premiers textes, les écrivains algériens de langue française les plus représentatifs ont d'emblée situé leur propre écriture comme problématique. Plus : cette constante interrogation, explicite ou implicite de leur parole sur elle-même, ne peut-elle pas être considérée comme ce qui la rend à la fois si attachante et, proprement, littéraire ?

MALEK HADDAD

Malek Haddad peut être considéré comme le chantre de l'acculturation, tant dans ses poèmes que dans ses romans, et ce qui ressemblerait parfois à des contradictions dans l'évolution de l'auteur peut en partie s'expliquer par son déchirement linguistique.

Le Malheur en danger (1956)

Tiré du recueil qui fit connaître l'auteur, cet extrait du poème « La longue marche » montre l'indéniable lyrisme, mais peut-être aussi une certaine facilité inhérente à ce thème.

OH MON DIEU CETTE NUIT TANT DE NUIT DANS MES [YEUX
Maman se dit Ya Ma et moi je dis ma mère
J'ai perdu mon burnous mon fusil mon stylo
Et je porte un prénom plus faux que mes façons
Ô mon Dieu cette nuit mais à quoi bon siffler
Peur tu as peur peur tu as peur peur tu as peur
Car un homme te suit comme un miroir atroce
Tes copains à l'école et les rues les rigoles
Mais puisque je vous dis que je suis un Français
Voyez donc mes habits mon accent ma maison
Moi qui fais d'une race une profession
Et qui dis Tunisien pour parler d'un marchand
Moi qui sais que le Juif est un mauvais soldat
Indigène ? Allons donc ma sœur n'a pas de voile
Au lycée n'ai-je pas tous les prix de français
De français de français de français... en français
OH MON DIEU CETTE NUIT TANT DE NUIT DANS MES [YEUX.

(p. 27.)

La dynamique narrative de *La Terre et le Sang* de Feraoun et de *La Colline oubliée* de Mammeri reposait déjà sur cette tension que produit le retour à une société traditionnelle, de personnages ayant connu la culture occidentale. Si l'écriture des deux romanciers se forge dans les moules et les systèmes de références de l'enseignement français dont ils sont à des niveaux différents de beaux fleurons, cette rupture est en quelque sorte représentée dans leurs livres par le tragique qui les sous-tend, et qui condamne à mort Amer comme Mokrane. Or ce tragique est aussi, implicitement, celui à partir duquel les deux auteurs écrivent.

Quelques années plus tard les deux écrivains radicalisent leur propos en faisant analyser de manière explicite sa situation par leur héros. Et aussi bien Amer n'Amer chez Feraoun qu'Areski chez Mammeri vont surtout mettre en cause l'école française qui a fait d'eux des déracinés. On est passé de la troisième personne et de la narration, dans les romans de 1952-1953, à la première personne et à l'exposé didactique dans ceux de 1955-1957. Le débat socio-politique de l'époque s'y trouve illustré. Mais cette subordination de l'écriture littéraire à un débat de sociologues et de journalistes qui lui est extérieur rend peut-être ces textes plus datés que les précédents des mêmes auteurs.

MOULOUD FERAOUN

Les chemins qui montent (1957)

Dans une sorte de journal qui occupe une grande partie de la fin du roman, Amer (fils de celui qui porte le même prénom dans *La Terre et le Sang*), tente d'analyser l'échec de sa tentative de réinsertion à Ighil-Nezman, comme l'échec de son amour pour Dehbia, elle-même élevée par des religieuses chrétiennes. Si *Le Fils du pauvre* a pu être lu comme une valorisation de l'école française, la dénonciation qu'on trouve ici oblige, comme tout le roman dont elle est extraite, à reconsidérer une telle lecture.

Pauvre maman, tu as fait de moi un raté. J'en veux à l'instituteur qui t'a ouvert l'appétit, qui t'a fait croire que j'étais intelligent, que je pouvais poursuivre mes études. Qu'avais-je à faire au collège, moi ? On me renvoya pour mauvaise conduite, indocilité, lecture de journaux interdits, etc. Et je devins chef de cellule communiste au village d'Ighil-Nezman. Cela dura quelques années, t'en souviens-tu ? Je vivais en parasite et je développais mes théories humanitaires. C'était le bon temps. Tous les jeunes étaient avec moi. Nous lisions les journaux et les tracts ; la nuit, nous allions veiller dans les champs. Il fallait discuter, expliquer des principes, dresser des plans, faire rêver les adhérents, les transporter dans un monde meilleur où les Kabyles[1] étaient des hommes, où leurs exceptionnelles qualités étaient publiquement reconnues. Eh bien oui, c'était beau et je regrette ce temps-là. Comme nous étions trop remuants et que le moment était particulièrement trouble, le mouchard de service nous signala. Deux des nôtres furent expédiés au Sahara et nous nous dispersâmes comme une volée de moineaux. Amer n'Amer fut vertement tancé par le hakem[2] mais en considération de son origine bâtarde, et nonobstant son lourd passé de collégien, il put éviter Colomb-Béchar[3]. Et ma mère dans son affolement préféra m'expédier en France. Tous ses rêves s'écroulaient. (pp. 178-179.)

1. Principale population montagnarde d'origine berbère. La Kabylie s'étend à l'est d'Alger. Sa capitale est Tizi Ouzou.
2. Administrateur.
3. Bagne.

MOULOUD MAMMERI

Le Sommeil du juste (1955)

Après un ensemble de mésaventures dans lesquelles l'atavisme tribal a eu raison, jusqu'au meurtre, de l'humanisme dont Arezki, formé à l'école française, se fait le représentant, ce même Arezki se trouve soudain marginalisé et poursuivi, selon une vraisemblance curieuse : la cohérence est de toute évidence plus symbolique que narrative, puisque ce n'est pas Arezki le meurtrier, mais que sa demi-marginalisation culturelle le désigne en quelque sorte comme bouc émissaire. Il en profite pour rédiger des lettres aux protagonistes marquants de son itinéraire, dont la plus importante est bien sûr adressée à son professeur.

Au terme de ce bref rappel de souvenirs qu'il n'est pas en mon pouvoir d'oublier, j'ai la désagréable impression d'avoir été... comment dirai-je, mystifié. Je me revois tel que je suis sorti de vos mains et tel que maintenant je suis.

Il me semble avoir été lâché dans la jungle, sans dents pour mordre, sans armes, pis, gêné d'intelligence, encombré d'innocence et de scrupules, quelque chose comme la victime rêvée, l'agneau du sacrifice.

Pendant trois ans vous nous avez parlé de l'homme. J'y ai cru — j'ose à peine vous le rappeler sans confusion — avec quelle ferveur... mieux que quiconque vous le savez. Quelle n'a pas été ma stupeur de découvrir chaque jour plus irréfutablement que l'homme n'existait pas, que ce qui existait c'étaient les Imann[1] et les autres !...

Les Imann ? Ni mes livres, ni vous, mon maître, ne m'en aviez parlé.

1. Indigène musulman non naturalisé.

La plèbe et le patriciat, les citoyens et les métèques, j'y pensais un peu comme aux haches de silex ou aux toges laticlaves[1], réalités d'un autre âge, tout juste bonnes à mettre sous verre pour s'en étonner. Je croyais les clans morts : pourquoi m'avez-vous caché qu'ils n'avaient que changé de nom ?

J'étais classé Imann sur d'innombrables fiches, mais ne m'en suis jamais outre mesure inquiété, ayant d'abord pris cela pour l'inoffensive manie d'un bureaucrate. Force me fut de convenir par la suite que c'était plus qu'une classification, un parcage. J'étais un Imann comme le ciel est bleu, la République indivisible et notre acier victorieux.

Je pensais au père, à Raveh-ou-Hemlat, à Toudert, à Sliman qui n'épouserait jamais Yakout. Je pensais aux sarcasmes dont j'avais accablé tout cela et je me demandais : « Où est la différence ? » (pp. 136-137.)

ASSIA DJEBAR

La contradiction entre deux cultures est bien sûr particulièrement visible lorsqu'il s'agit de l'expérience d'une jeune femme à qui l'école française ouvre des perspectives de liberté personnelle insoupçonnées, mais dont l'expérience tourne court à chaque rappel, direct ou indirect, de la société d'origine. Les deux premiers romans d'Assia Djebar, *La Soif* (1957) et *Les Impatients* (1958), joignent au scandale d'une femme écrivant, celui de dire dans des livres une sexualité féminine. (Françoise Sagan n'avait-elle pas publié trois

1. Tunique à large bande de pourpre des sénateurs romains.

ans avant *La Soif*, *Bonjour tristesse* chez le même éditeur ?). Même si l'intrigue de ces deux premiers romans d'Assia Djebar n'évite pas toujours les clichés du genre, l'essentiel est que dès les débuts de la Révolution algérienne (*La Soif* a été écrit alors qu'élève de l'École Normale Supérieure de Sèvres Assia Djebar était en grève avec l'ensemble des étudiants algériens, et que son frère âgé de dix-sept ans était arrêté au maquis) une parole féminine surgisse en tant que telle, illustrant ainsi l'idée de Fanon selon qui la Révolution algérienne entraînerait nécessairement une prise de parole par les femmes.

Les Impatients (1958)

A la différence des textes plus idéologiques de Feraoun et Mammeri qui précèdent, ce passage des *Impatients* montre une écriture qui se contente de narrer sans expliquer, et donne la priorité au ressenti sur l'analyse didactique. Et cependant la brusque volte-face finale de l'héroïne n'est-elle pas aussi explicite qu'un long exposé ?

Bientôt le soleil sauta au-dessus de ma tête. Les yeux fermés, éblouie, j'enlevai le boléro de ma robe qui voilait mes épaules. Le soleil tapa sur ma peau ; avec délices, je le laissai me mordre. Pour la première fois de ma vie, je dormais seule ainsi, en pleine nature. J'allais penser que c'était imprudent. Mais que pouvait-il exister d'autre que moi, et le ciel, à cette heure ? Pendant dix-huit ans, on m'avait empêchée d'aimer le soleil rouge, le ciel plein et rond comme une coupe fraîche. J'étais enfin dans la lumière. Je m'endormis.

Ce fut sur un visage que j'ouvris les yeux. Un visage d'homme où je remarquai d'abord les yeux étroits qui riaient. Je ne bougeai pas. Il me semblait avoir atterri au large d'une nuit chaude, durant laquelle le soleil m'eût recouverte d'un vêtement d'or. Le visage restait là, dans cette lumière qui le baignait. Les cils des yeux noirs battaient ; je remarquai la bouche aux lèvres minces. Mais j'y lus un sourire ironique. Je me secouai puis, confuse, me soulevai. Je cherchai le boléro sur l'herbe pour en recouvrir mes épaules. L'homme se mit à rire :

« Ne vous dérangez pas pour moi ! »

Un moment interdite, puis vexée de paraître pudibonde, je me rassis. Debout devant moi, il était si grand qu'il me fallait lever les yeux pour rencontrer son regard. Je le trouvai beau. J'avais envie de lui sourire ; il ne m'intimidait pas. Et pourtant, pensais-je, c'est le premier étranger qui me parle ; bien plus, le premier homme, en dehors de mon frère et de mon beau-frère. Mais ce jour-là, après ce somme dans le soleil, rien ne me semblait étrange.

J'appuyai ma joue sur mes genoux, en une attitude familière, et restai ainsi, la tête tournée vers l'inconnu. Je l'écoutais avec un doux sentiment de paresse. Derrière lui, derrière son sourire, le ciel m'aveuglait. Je n'avais pas envie de répondre.

« Vous avez l'habitude de faire votre sieste ici, sur l'herbe ? »

Je continuai à le regarder. Il me semblait que je ne bougerais jamais.

« Comment vous appelez-vous ? »

A la façon qu'il avait de traîner sur les mots, je l'avais deviné de ma race : un Arabe. Je n'eus encore le moindre sentiment de réserve ; et je ne le regrette pas. On éprouve une ivresse si secrète quand on arrive loin des autres, du bruit des autres, sur les bords de soi-même, que l'on aimerait pouvoir s'arrêter là, pour toujours, figé devant la précieuse découverte. Je n'avais pas oublié que j'étais une musulmane, une bourgeoise, une petite fille bien élevée ; mais je me sentais heureuse. L'inconnu possédait une grâce nonchalante qui s'accordait avec mon euphorie. Tout le reste n'avait plus grande importance.

« Comment vous appelez-vous ? » répéta-t-il un peu plus bas.

Prenant mon silence pour une invite, il fit quelques pas, puis vint s'asseoir près de moi. Je me dressai, mon bonheur cassé. Tout en remettant mon boléro, je dis rapidement, en arabe, vibrante de colère de ce qu'il venait de briser :

« Je ne tiens pas à savoir votre nom, faites comme moi, adieu ! » (pp. 15-17.)

3

Le grand texte fondateur

KATEB YACINE

Nedjma (1956)

Le roman algérien le plus important d'avant l'Indépendance est sans conteste *Nedjma* de Kateb Yacine. On apparente parfois ce texte au Nouveau Roman, dont il est contemporain, et auquel il ressemble par certains traits, tels l'éclatement de la chronologie ou de l'unicité de l'intrigue comme des points de vue narratifs, ou encore par la ruine du modèle de la description réaliste, et la mise en spectacle des récits comme gestations plus que comme intrigues. Mais ces procédés d'écriture, outre qu'ils n'ont rien d'un système appris, ne s'inscrivent pas seulement dans une modernité du genre romanesque : les langages que les différents récits de *Nedjma* mettent en scène pour en montrer les limites sont bien souvent ceux auxquels on a jusqu'ici fait appel pour définir une identité collective contre la négation coloniale. Le discours islamique comme la mythologie tribale, même si la seconde est hautement valorisée dans le texte, n'y sont pas moins mis en échec, non par une quelconque argumentation, mais par le non-aboutissement des deux voyages qui devaient leur donner une réalité : les voyages à La Mecque et au Nadhor de Rachid et Si Mokhtar n'atteignent pas leur but et sombrent dans le grotesque, cependant que Nedjma, en qui on a voulu voir un symbole de la nation à venir, est le seul personnage important du roman à ne jamais être locutrice d'un récit. *Nedjma* peut dès lors être lu comme la manifestation, par ce vide autour duquel le roman se construit, de l'absence d'un récit de la nation, lequel reste encore à inventer. Aussi bien l'ensemble des textes qui composent le roman a-t-il été écrit avant le déclenchement de la lutte armée le 1er novembre 1954.

Ce roman est donc plus signifiant par sa structure que par un quelconque exposé idéologique, auquel il ne se laisse jamais aller. Bien au contraire, « au sein de la perturbation éternel perturbateur », Kateb Yacine met tout en œuvre pour empêcher son texte d'être « récupéré » par un dogmatisme, fût-il celui de l'idéologie progressiste dont l'auteur se réclame. Et si l'écriture recourt volontiers aux résonances du registre épique, elle sait également faire de la rupture burlesque de ce même registre un de ses traits saillants. Ainsi est-ce par sa polyphonie que ce texte se prête à des lectures toujours nouvelles. C'est pourquoi les successeurs de Kateb feront souvent référence, directement ou indirectement, à ce roman et à sa mythologie comme au texte qui fonde en quelque sorte une littérarité algérienne de langue française.

> Ouvriers sur un chantier dans un village de l'Est algérien, les quatre héros du roman sont confrontés à la société coloniale peu après la Seconde Guerre mondiale. C'est l'occasion pour l'écrivain de retourner en quelque sorte la description que pratiquent les récits dans lesquels le maghrébin est objet exotique devant l'évidence du regard occidental. Ici, l'objet exotique sera la société française d'Algérie, même si le burlesque transcende bien souvent la distance du regard exotique inversé...

Le mariage de M. Ricard a été célébré dans la plus stricte intimité. Le peuple a eu beau grimper aux arbres, et faire toutes sortes d'acrobaties, il n'a pu assister aux ripailles.

M. Ricard était mortifié de devoir ouvrir sa maison à tant d'invités : tous les Européens du village, avec leurs familles ; seules manquaient les personnalités de première importance, dont les délégués vinrent d'ailleurs en grand nombre, sans invitation ni mandat. Fort heureusement, le curé de la région, habitant un autre village, n'eut pas vent de la chose, et le pasteur non plus ne fut pas alerté ; à l'encontre de ce qu'on espérait, il n'y eut pas de conflit entre le calvinisme de l'entrepreneur et le catholicisme de sa fiancée, faute de prêtres pour croiser le fer.

Le scandale prit une autre forme. M. Ricard supporta tout d'abord la beuverie de pied ferme ; mais la conjuration devait l'emporter ; il se soûla de lui-même, lorsqu'il comprit que c'était là l'unique défi qu'il pouvait relever avec une chance de victoire ; quelques-uns de ses entraîneurs avaient déjà roulé à ses pieds ; ce triomphe le grisa par surcroît. Sa joie dégénérait en agressivité ; il ne faisait que rire, mais la présidente du comité de la Croix-Rouge reçut plusieurs noyaux de dattes dans son corsage, et son bébé terrorisé se mit à mordre le tire-bouchon. Alors M. Ricard fut porté dans son lit, encore conscient mais incapable de surmonter l'impuissante fureur qui l'avait envahi dès le début du banquet. Il voyait bien que ses pires ennemis étaient là, qu'ils se payaient sa tête et souillaient à plaisir son repaire de vieux célibataire en train de rater son second mariage. Mais il se laissait habiller d'une vieille chemise trop courte. Et Suzy, réalisant que la nuit de noces n'aurait pas lieu, vidait un reste de champagne, sans qu'on pût deviner si c'était la joie ou le dépit qu'elle noyait ainsi sous les yeux de ses parents. On la coucha dans le lit conjugal, où elle se mit à se débattre sous le crucifix affolé, tandis que la présidente de la Croix-Rouge se vengeait en montant la garde auprès du couple terrassé, et brandissait le bébé hurlant, de manière à étouffer les cris de rage de l'entrepreneur, si bien qu'on n'entendit pas la fin du cantique entonné par M. Ernest dans une flambée fanatique suscitée par sa femme, soit pour sauver la face, soit pour provoquer quelque protestante riposte de M. Ricard qui achèverait de le ridiculiser. Mais la présidente de la Croix-Rouge restait au centre du scandale, et Suzy ne se débattait plus ; elle s'était finalement tournée vers son fiancé, qu'elle secouait et rudoyait à plaisir, sans rencontrer de résistance, car l'entrepreneur était apparemment dans le coma : en réalité, il avait l'esprit ailleurs ; il n'avait pas entendu le cantique, mais ses yeux se fermaient sur un groupe d'invités qui fouillaient dans l'armoire. (I, 7, pp. 25-26.)

Comme l'auteur, Lakhdar lycéen a été arrêté lors de la manifestation du 8 mai 1945, dont la répression fit des milliers de victimes. Lors d'un second séjour en prison (la répétition a ici valeur signifiante : ainsi la même manifestation sera narrée à nouveau par Mustapha vers la fin du roman), il analyse la naïveté de son enthousiasme de militant, avec un humour face aux clichés de tout discours nationaliste, qui reste peut-être toujours d'actualité...

Fallait pas partir. Si j'étais resté au collège, *ils* ne m'auraient pas arrêté. Je serais encore étudiant, pas manœuvre, et je ne serais pas enfermé une seconde fois, pour un coup de tête. Fallait rester au collège, comme disait le chef de district.
Fallait rester au collège, au poste.
Fallait écouter le chef de district.
Mais les Européens s'étaient groupés.
Ils avaient déplacé les lits.
Ils se montraient les armes de leurs papas.
Y avait plus ni principal ni pions.
L'odeur des cuisines n'arrivait plus.
Le cuisinier et l'économe s'étaient enfuis.
Ils avaient peur de nous, de nous, de nous !
Les manifestants s'étaient volatilisés.
Je suis passé à l'étude. J'ai pris les tracts.

J'ai caché la Vie d'Abdelkader.
J'ai ressenti la force des idées.
J'ai trouvé l'Algérie irascible. Sa respiration...
La respiration de l'Algérie suffisait.
Suffisait à chasser les mouches.
Puis l'Algérie elle-même est devenue...
Devenue traîtreusement une mouche.
Mais les fourmis, les fourmis rouges.
Les fourmis rouges venaient à la rescousse.
Je suis parti avec les tracts.
Je les ai enterrés dans la rivière.
J'ai tracé sur le sable un plan...
Un plan de manifestation future.
Qu'on me donne cette rivière, et je me battrai.
Je me battrai avec du sable et de l'eau.
De l'eau fraîche, du sable chaud. Je me battrai.
J'étais décidé. Je voyais donc loin. Très loin.
Je voyais un paysan arc-bouté comme une catapulte.
Je l'appelai, mais il ne vint pas. Il me fit signe.
Il me fit signe qu'il était en guerre.
En guerre avec son estomac. Tout le monde sait...
Tout le monde sait qu'un paysan n'a pas d'esprit.
Un paysan n'est qu'un estomac. Une catapulte.
Moi j'étais étudiant. J'étais une puce.
Une puce sentimentale... Les fleurs des peupliers...
Les fleurs des peupliers éclataient en bourre soyeuse.
Moi j'étais en guerre. Je divertissais le paysan.
Je voulais qu'il oublie sa faim. Je faisais le fou.
Je faisais le fou devant mon père le paysan. Je bombardais la lune dans la rivière. (II, 4, pp. 53-54.)

Après son emprisonnement consécutif au 8 mai 1945, Lakhdar, issu de la campagne comme Mustapha, est envoyé par sa famille à Bône chez sa tante Nedjma, qu'il ne connaît pas encore. C'est l'occasion pour l'auteur de nous parler de la façon de vivre de la jeune femme et de montrer par un autre récit humoristique l'anachronique inefficacité des grandes familles citadines.

Kamel s'est marié parce que sa mère l'a voulu.

Nedjma s'est mariée parce que sa mère l'a exigé.

Kamel, lui, l'heureux époux, a eu un père incontestablement noble, mort sans s'être montré dans la ville ; orphelin, Kamel vend sa part de terres, s'installe à Bône, laisse pousser sa moustache ; sa mère lui déniche une boutique de tabac et journaux ; Kamel lit les journaux, mais reste fidèle aux traditions du défunt, qui n'a jamais fumé, n'est jamais entré dans un bar ni dans un cinéma... Les deux mères se rencontrent au bain, puis aux mausolées de divers saints ; elles se confient qu'elles sont toutes deux de descendance aristocratique, l'une ayant le profil de l'aigle, l'autre celui du condor ; elles habitent toutes deux Beauséjour, ne parlent que de Constantine et d'Alger au temps des braves, se montrent parcimonieusement leurs bijoux, remontent leur arbre généalogique jusqu'au Prophète[1], sautent par-dessus les siècles, ôtent enfin leurs fausses dents pour s'embrasser, sans plus de retenue ; la fille de l'une ne peut aller qu'au fils de l'autre ; Lella Fatma précise qu'elle ne veut pas de dot, mais tient à sa fille ; Lella N'fissa proclame que son fils est de taille à faire le bonheur de trois femmes. Les deux belles-mères coexistent jusqu'au septième jour du mariage ; à cette occasion, Lella Fatma fait venir le plus grand pianiste d'Algérie ; Lella N'fissa, qui n'a pas été consultée, refuse de paraître à la fête, et tombe, toute bleue, dans le couloir.

« C'est le cœur, dit Kamel.

— C'est l'estomac », dit Nedjma.

Ainsi commence la guerre froide.

Kamel transporte sa mère chez des alliés constantinois.

Victorieuse, Lella Fatma fait peindre la villa en vert.

(II, 9, pp. 67-68.)

1. Le Prophète Mohammed, ou Mahomet, fondateur de la religion musulmane.

Personnage citadin, lui aussi parent et impossible amant de Nedjma, Rachid, flanqué de ce double paternel ambigu qu'est Si Mokhtar (suspect d'avoir tué le vrai père de Rachid dans cette caverne du Rhummel où Nedjma fut conçue — par quel père hypothétique ?), est en quête d'une identité tout aussi insaisissable que l'amante, ou que le secret de Si Mokhtar. Quête qui se dissoudra à la fin du roman dans les effluves de cette fumerie surplombant la caverne du Rhummel, où il narrera à son tour un récit qui n'aboutit à aucune réponse. Pour l'instant, il va suivre, passager clandestin, Si Mokhtar jusqu'aux lieux saints de l'Islam — qu'ils ne fouleront cependant pas, n'étant pas sortis du bateau des pèlerins. Mais ce « pèlerinage » n'était-il pas dès le début une bouffonnerie ?

Le père de Si Mokhtar était enterré à La Mecque ; aussi fut-il désigné d'office pour trôner parmi les dignitaires ; ses soixante-quinze ans ne firent qu'arranger les choses ; si bien que le vieux bouffon, aux approches du mois sacré, devenait infailliblement le délégué suprême non seulement des quelques pèlerins qui l'entouraient déjà, mais de toute la ville et de tout le département de Constantine qui avait toujours passé, en raison de sa position devant la Tunisie et le Moyen-Orient, pour le berceau, le foyer de la foi musulmane en Algérie, — une Algérie que Si Mokhtar allait peut-être représenter tout entière, aux côtés des pachas marocains, des Ulémas tunisiens, des fakirs de l'Inde et des mandarins chinois, qui seuls pourraient à la rigueur toucher la Pierre Noire[1] avant lui. Trois mois avant le départ, Si Mokhtar était invité partout, et, ne pouvant plus boire d'éther, avalait à la dérobée une rasade d'eau de Cologne lorsqu'il venait à manquer de ferveur ; lui-même à présent croyait avoir retrouvé la foi ; il s'en ouvrait à Rachid, qui n'osait se moquer, vivant en grande partie de l'argent et des divers bienfaits que les citadins prodiguaient au Cheikh en partance, pour être nommés dans ses prières ; enfin

1. Centre de la mosquée sacrée de La Mecque, but du pèlerinage.

Si Mokhtar fut mené au port d'embarquement le plus proche, dans une superbe conduite intérieure, et il fut, avec ses pieux congénères, officiellement reçu par le sous-préfet de Bône, au fond d'un vaste salon ; Si Mokhtar faillit renverser en passant le service à liqueurs, dans son empressement à lui tourner le dos, tandis que Madame, les pieds nus débordant de ses mules vertes, rehaussées de satin, fraîche et fanée au sortir du bain, faisait ondoyer son pantalon de soie, tirant sur un long fume-cigarette, évoquant l'Islam avec une pointe d'émotion, comme elle eût disserté d'une maison de couture ou d'une droguerie en disgrâce, afin de plaindre, distraire, attendrir quelque délégation de branlantes chouettes prêtes à choir de la dernière branche : le pèlerin-junior n'avait pas moins de soixante ans ; le plus vigoureux était Si Mokhtar, le seul à être venu sans canne ni béquille, serrant la fiole de parfum sous le chapelet ruisselant de sueur... (III, 136, pp. 112-113.)

Plutôt que de l'islam ou de l'histoire des pères qui, de toute manière, ont trahi, le salut n'est-il pas à chercher dans le passé glorieux de la tribu éclatée ? On verra ici la juxtaposition entre la fin du récit de cet éclatement légendaire, et un épisode de l'histoire de Rachid où la légende reprend vie dans sa cellule de prison. Dans ces passages dont on soulignera la tonalité épique, on pourra voir aussi une représentation de la narration elle-même comme fondatrice. Le premier ouvre la quatrième partie du roman, qui précisément sera dominée par les récits mythiques dont Rachid est le principal locuteur, et se termine par des questions qui laissent l'histoire en suspens. Le second installe en quelque sorte Rachid dans sa future fonction de narrateur, que désigne déjà indirectement la récurrence des verbes « raconter » et « narrer ». L'enfermement en prison, où l'auteur avoue s'être découvert écrivain après le 8 mai 1945, peut ainsi apparaître comme une des figures par lesquelles se produit le texte même de *Nedjma*. C'est également depuis d'autres lieux clos, comme la chambre de Mourad dans la troisième partie, ou la fumerie du

Rhummel dans cette quatrième partie, que Rachid développe son récit mythique et personnel.

I

La tribu demeurait sans chef ; deux femmes y moururent, nommées Zohra et Ouarda, la première répudiée, la seconde veuve avec ses deux filles, les sœurs de Mustapha, les deux vierges du Nadhor qui virent l'aigle assiégé les bombarder dans les airs ; elles grimpaient obstinément en direction de l'aire ouverte à tous les vents, et chaque fois, comme pour démentir sa mort devant la tribu décimée qui l'avait trouvé là, l'aigle centenaire abandonné depuis longtemps par sa compagne et ses fils, l'aigle en proie à la curiosité des vierges se traînait hors de chez lui, prenait son vol brusquement après de tragiques efforts d'ancêtre pourchassé, tournoyant à distance au-dessus des deux sœurs ainsi qu'un stratège blasé fuyant le théâtre d'une victoire à sa portée ; puis des rochers imprévus tombaient des serres de l'oiseau, projectiles sans réplique dont la chute consolait la tribu de sa défaite, comme un présage de force aérienne, ignorée des Anciens. Et la petite sœur disparut un soir d'été ; l'aînée ne dit rien à personne ; son corps fut retrouvé le jour suivant au pied du pic, un couteau glissé à sa ceinture ; et sans mot dire, la tribu enterra la vierge esseulée, la farouche fille de quinze ans qui perdit sa petite sœur, crut que l'aigle l'avait prise, et partit avec un couteau à l'assaut du veuf inaccessible, se tuant dans sa chute. Comptait-elle égorger le vieil oiseau ? Prévoyait-elle d'autres rencontres, ou songeait-elle à retourner l'arme contre elle si elle ne retrouvait pas la fillette ? Et celle-ci ne fut pas retrouvée ; l'aigle lui-même ne se montra plus ; et les dernières radoteuses de la tribu sans chef s'emparèrent de l'énigme : si l'aigle était parti avec sa proie, c'était peut-être le signe que la malédiction s'éloignait, grâce aux deux vierges sacrifiées pour le repos de Keblout.

II

Et le vieux Keblout légendaire apparut en rêve à Rachid ; dans sa cellule de déserteur, Rachid songeait à tout autre chose qu'à son procès ; le tribunal qu'il redoutait n'était ni celui de Dieu ni celui des Français ; et le vieux Keblout légendaire apparut une nuit dans la cellule, avec des moustaches et des yeux de tigre, une trique à la main ; la tribu se rassembla peu à peu dans la cellule ; on se serra au coude à coude, mais nul n'osait s'approcher de Keblout. Lui, l'ancêtre au visage de bête féroce, aux yeux sombres et malins, promenait son superbe regard sur sa tribu, la trique à portée de sa main ; il racontait ironiquement par ce seul regard l'histoire de chacun, et il semblait à ses descendants que lui seul avait réellement vécu leur existence dans toute son étendue — lui seul s'étant frayé passage jusqu'au Nadhor où, subissant déjà la défaite, il n'en mourut pas moins à la tête de sa tribu, sur la terre pour laquelle il avait probablement traversé les déserts d'Égypte et de Tripolitaine, comme le fit plus tard son descendant Rachid qui lisait à présent sa propre histoire dans l'œil jaune et noir de Keblout, dans une cellule de déserteur, en la double nuit du crépuscule et de la prison. (IV, 1 et 2, pp. 133-134.)

Rachid et Si Mokhtar ont enlevé Nedjma pour retrouver avec elle le Nadhor, lieu d'origine de la tribu. Mais ce récit, essentiellement dit par Rachid à la fumerie, semble s'égarer parfois. Ne serait-il pas comme l'aisselle de Nedjma qu'on voit ici sortir du chaudron où elle a pris son bain, « dans toute sa splendeur, la main gracieusement posée sur le sexe », « ce rare espace d'herbe en feu dont la vue suffit à troubler, dont l'odeur toujours sublimée contient tout le philtre, tout le secret » (p. 137) ? La lecture de cet épisode complexe du Nadhor doit donc nécessairement se faire à plusieurs niveaux. Une psychanalyse un peu sommaire aura vite fait de rapprocher le chaudron de Nedjma de celui de la mère de Kateb, lequel nous le décrit à la fin du *Polygone étoilé*

(1966), d'autant plus que Rachid parle bien ici de son « aventureuse enfance ». Si les rapprochements sont évidents, ils ne sont cependant intéressants d'un point de vue littéraire que si on se souvient que cette fin autobiographique du *Polygone étoilé* nous raconte surtout la rupture avec l'enfance que constitua l'entrée dans la « gueule du loup » : la langue française dans laquelle Kateb est devenu écrivain, et dont on retrouve la violence fondatrice de l'écriture dans l'espace clos de la prison. Dès lors le passage se prêtera, entre autres lectures, à celle d'une mise en résonances par le récit énigmatique, de la relation complexe entre la parole, son objet, le désir et « les chants brisés de mon enfance ».

IV

Quelle belle journée, quel magnifique coin de ciel !

Je me souvins de mon aventureuse enfance ; vrai ; j'étais libre, j'étais heureux dans le lit du Rhummel ; une enfance de lézard au bord d'un fleuve évanoui. Aux heures les plus chaudes, je m'endormais sous les cèdres, et le sommeil chassait la mélancolie ; je m'éveillais gonflé de chaleur. C'était pareil à cette joie, sous le figuier, de voir Nedjma au sortir du bain, distante, mais sans disparaître, à la façon d'un astre impossible à piller dans sa fulgurante lumière.

Encore ému des chants brisés de mon enfance, j'aurais voulu traduire à la créature que le nègre dévorait des yeux ce monologue des plus fous : « Pourquoi ne pas être restée dans l'eau ? Les corps des femmes désirées, comme les dépouilles des vipères et les parfums volatils, ne sont pas fait pour dépérir, pourrir et s'évaporer dans notre atmosphère : fioles, bocaux et baignoires : c'est là que doivent durer les fleurs, scintiller les écailles et les femmes s'épanouir, loin de l'air et du temps, ainsi qu'un continent englouti ou une épave qu'on saborde, pour y découvrir plus tard, en cas de survie, un ultime trésor. Et qui n'a pas enfermé son amante, qui n'a pas rêvé de la femme capable de l'attendre dans quelque baignoire idéale, inconsciente et sans atour afin de la recueillir sans flétrissure après la tourmente et l'exil ? Baigne-toi, Nedjma, je te promets de ne pas céder à la tristesse quand ton charme sera dissous, car il n'est point d'attributs de ta beauté qui ne m'aient rendu l'eau cent fois plus chère ; ce n'est pas la fantaisie qui me fait éprouver cette immense affection pour un chaudron. J'aime aveuglément l'objet sans mémoire où se chamaillent les derniers mânes de mes amours. Plaise au ciel que tu sortes lavée de l'encre grise que seule ma nature de lézard imprime injustement dans ta peau ! Jamais amant ne fut ainsi acculé jusqu'à désirer la dissolution de tes charmes... En vérité, suis-je cet amant ? J'ai honte d'avouer que ma plus ardente passion ne peut survivre hors du chaudron.

....

Mais je ne pouvais rien dire de cela devant Nedjma, me contentant de l'énoncer à voix basse, murmurant pour moi-même le peu de mots capables de suggérer le mystère de pareilles pensées... D'ailleurs Nedjma s'était couchée près de moi, ruisselante, et le sommeil gagnait son corps détendu ; je ne savais que faire de ma nervosité croissante, tandis que le nègre semblait lui aussi s'endormir à bout d'émotion, et les deux figues brunes, mûrissantes, ouvertes aux premières patrouilles de fourmis, me faisaient gémir avec sévérité contre la présence dans un verger trop chargé dont je me sentais obscurément gardien, visé de toutes parts pour la problématique possession de Nedjma. (IV, A, 3-4, pp. 138-140.)

Le roman se termine sans véritable fin, sur la récurrence de deux brefs chapitres dont le premier (chap. XI) est la répétition de la toute première page, cependant que le dernier répète la fin du chap. IX de la première partie (pp. 33-34). Cette répétition peut apparaître aussi bien comme un enfermement de tout le texte romanesque comparable à celui, dans le récit, de Lakhdar au chap. XI et de Mourad au chap. XII, que comme une ouverture de la narration. La dernière figure n'est-elle pas précisément celle de l'éclatement du groupe, mais en même temps celle du non-achèvement de cette figure spatiale comme du roman lui-même, que suggère l'absence de Mourad ? Pourtant, figure finale, cet éclatement du groupe ne fait à son tour que répéter l'éclatement initial de la tribu des Keblouti par le colonialisme, ou l'éclatement inaugural du roman, de Lakhdar s'échappant de sa cellule...

XI

Lakhdar s'est échappé de sa cellule.

A l'aurore, lorsque sa silhouette est apparue sur le palier, chacun a relevé la tête, sans grande émotion.

Mourad dévisage le fugitif.

« Rien d'extraordinaire. Tu seras repris.

— Ils savent ton nom.

— J'ai pas de carte d'identité.

— Ils viendront te choper ici.

— Fermez-la. Ne me découragez pas. »

Plus question de dormir.

Lakhdar aperçoit la bouteille vide.

« Vous avez bu ?

— Grâce au Barbu. Il sort d'ici.

— Et moi, j'ai pas le droit de me distraire ?

— Écoutez, propose Mourad. On va vendre mon couteau. »

XII

« N'allumez pas de feu », a recommandé le vétéran.

Lakhdar grogne, la tête enfouie dans la paille.

Les étoiles grouillent.

Le froid est vif.

Mustapha chantonne, à la fois pour lutter contre le froid, et faire venir le sommeil ; les étoiles grouillent.

Au lever du soleil, ils dévalent les mauvais sentiers de la forêt.

Ils ne se parlent pas.

C'est le moment de se séparer.

Ils ne se regardent pas.

Si Mourad était là, ils pourraient prendre les quatre points cardinaux ; ils pourraient s'en tenir chacun à une direction précise. Mais Mourad n'est pas là. Ils songent à Mourad.

« Le Barbu m'a donné de l'argent, tranche Lakhdar. Partageons-le.

— Je vais à Constantine, dit Rachid.

— Allons, dit Lakhdar. Je t'accompagne jusqu'à Bône. Et toi, Mustapha ?

— Je prends un autre chemin. »

Les deux ombres se dissipent sur la route. (IV, B, 11-12, pp. 255-256.)

4

La poésie et le théâtre de la guerre

La guerre d'Algérie a produit des romans, qu'on verra au chapitre suivant. Mais outre qu'ils sont encore peu nombreux, ils n'ont véritablement commencé à paraître qu'à la fin de cette guerre, et surtout après. Par contre, plus facile à éditer et à diffuser, souvent par le biais de structures militantes, la poésie répondit bien plus vite à l'événement. Parmi ces poètes nombreux, il est difficile de faire un choix. Beaucoup d'entre eux n'ont plus rien publié une fois passés les événements qui les avaient fait s'exprimer. On a donc surtout retenu ici des textes dont les auteurs ont continué à publier ensuite, et dont l'écriture dépasse l'événementiel. Il faudrait en citer bien d'autres.

On pourra dégager de ces textes des accents qui sont souvent communs à toutes les poésies de résistance. Éluard, Aragon, et bien d'autres poètes de la Résistance française à l'occupation allemande en 1939-1945 ne sont pas loin. Là encore la liaison de cette écriture avec un militantisme français est évidente. Et il n'y a point là de contradiction idéologique, car l'exigence de justice, même s'il s'agit ici en partie de nationalisme, est universelle. Aussi une des caractéristiques essentielles de ces textes est-elle également l'absence de haine.

PREMIER NOVEMBRE

Éclatement de la lutte armée, le premier novembre 1954 est salué par les poètes comme le fruit de l'attente d'un peuple, mais aussi comme le début d'une série d'épreuves, que seule permettra de supporter cette « étrange annonce » dont parle Dib dans *Ombre gardienne.* Si les textes de Noureddine Aba et Djamel Amrani assument la tentation de l'équipe liée à l'événement auquel Mostefa Lacheraf donne une expression plus exigeante et hautaine, c'est un registre à la fois plus chuchoté et peut-être plus grave que choisit Mohammed Dib.

NOUREDDINE ABA

La Toussaint des énigmes (1963)

Je savais qu'un jour ou l'autre
Quelque aurore indélébile
Aurait raison de cette longue nuit
Où se jouait un jubilé de chèvres noires.
Je savais qu'un jour ou l'autre
Votre colère, trop longtemps contenue,
Éclaterait comme un délire de volcan,
Aurait raison des cimes.
Je savais qu'un jour ou l'autre
L'odeur de la poudre
Aurait raison de vos haillons
Et que vos haillons auraient raison
Des siècles et des distances.
Je savais qu'un jour ou l'autre
Vous diriez non à leur sel amer,

Non, à leur lune faussée,
Non, à l'absence d'orgueil,
Non, à cette ronde de pantins
Pour foire de réverbères.
Je savais qu'un jour ou l'autre
Quelque éclair d'orage
Aurait raison du ciel
Et que je retrouverais alors
Mon vrai regard avec sa soif d'itinéraires,
De respirations humaines
Et plus encore
De pardon au plus fort de la haine.

(pp. 16-17.)

DJAMAL AMRANI

Premier novembre 1954

Tes salves surgies de la
pierraille ont brandi le rouge croissant de la Révolte
coloré cette nuit du sang de l'oppression
  Premier Novembre
foyer de guerriers foyer d'intelligences
  Aube de paix !
Les you-yous t'ont répondu
de toutes parts
comme des brûle-parfum embrasés
  Premier Novembre
Capitale de l'Afrique
Réveil des échos
Résurgence du passé
Tu as levé le seigle de la Récolte

Tu as porté en toi les germes de notre pain
Tu as sorti le glaive de son écrin
et arraché l'écrin de sa ganse
Tu as sorti l'Espérance du fond de l'abîme
alors que nous n'avions aux lèvres
que des paroles confuses.

Écrit à Oujda le 17 septembre 1961.
Extrait de Denise Barrat,
Espoir et Parole, Seghers, 1963, p. 38.

MOSTEFA LACHERAF

Pays de longue peine qui s'en vient du même assaut
[tranquille au-devant des barbares !
Ce n'est plus le ressac des vieilles cavalcades battant
[la plaine sous les boulets,
Dans l'ahan de la charge et des retraites.
Le rocher se calcine avant que de céder et partout ce
[qui bouge reçoit son plein d'orage.
Les jeux agrestes ont fui l'enclos brisé,
Le chien roux et l'âne et la brebis
Errent depuis longtemps sur les traces du berger
Mais l'enfant-pâtre est loin sur les crêtes souveraines.
Un feu vengeur s'allume entre ses mains
Un feu noir qui résonne au milieu des bourreaux.

Prison de Fresnes, 6 décembre 1960.
Extrait du *Diwan algérien*, p. 198.

MOHAMMED DIB

Vivre aujourd'hui (1957)

Ne pardonnez pas justes morts
encore luisants
Vous creusez les clairières
où le sang à l'affût
couvre des roseraies

Mes frères dénudés qui tremblez
la nuit se mutile
sur vos visages profonds
et vos mains de feu viril

Hommes
que rien ne tuera jamais
hommes qui endurez tout
ouvertes
vos faces rayonnent
un nouveau jour commence

1re parution *Entretiens* (Rodez), 1957.
Réédité avec *Ombre gardienne*,
Sindbad, 1984, p. 69.

Ombre gardienne, 3 (1961)

Ne demandez pas
Si le vent qui traîne
Sur les cimes
Attise un foyer ;

Si c'est un feu de joie,
Si c'est un feu des pauvres
Ou un signal de guetteur.

Dans la nuit trempées encore,
Femmes fabuleuses qui
Fermez vos portes, rêvez.

Je marche, je marche :
Les mots que je porte
Sur la langue sont
Une étrange annonce.

MALEK HADDAD

Le lyrisme de Malek Haddad se place dès son premier recueil, en 1956, au service des combattants algériens. En même temps se développe déjà ce regard en recul sur son inutilité d'intellectuel qui s'« excuse d'être vivant », et se sent « plus orphelin qu'une nuit sans la lune ». Mais ce thème n'est-il pas celui qui fera la grandeur de toute son œuvre ? Et par ailleurs tout lyrisme n'est-il pas condamné de par sa nature même à dire « je », même si c'est parfois dérisoire devant l'énormité de l'événement collectif ?

Le Malheur en danger (1956)

Ils vont dans la légende

Ils vont dans la légende
Et la légende ouvre ses bras

Je leur avais parlé
J'avais senti leur main

Ils avaient des enfants et même des défauts
Comme ils savaient sourire alors qu'il faisait nuit

Je les retrouve en achetant
Un journal
Ils étaient mes amis ils n'étaient pas des mots
Des chiffres ou des noms
Ils étaient mille jours et dix ans de moi-même
Le repas qu'on partage
La cigarette de l'ennui
Ils savaient mes enfants
Je leur donnais tous mes poèmes
Ma mère aimait leur cœur
Ils étaient mes copains
Je leur avais parlé
Ils vont dans la légende
Et la légende ouvre ses bras
Et ils sont devenus une âme et ma patrie
Je ne verrai jamais mon copain le mineur
Son sourire éclairait son regard d'amertume
Mon copain le boucher et l'autre instituteur
Et je m'excuse
D'être vivant
Je suis plus orphelin qu'une nuit sans la lune

Ils vont dans la légende
Et la légende ouvre ses bras...

....

Mission accomplie

Et la Paix revenue
La Colombe dira
Qu'on me fiche la Paix
Je redeviens oiseau

Écoute et je t'appelle (1961)

Écoute et je t'appelle

Par-dessus les chansons des buissons fracassés
Écoutez-moi je parle
Avec la bouche des morts
Écoutez-moi j'écris
Avec la main brisée sur sa guitare

Je suis votre miroir
Il est beau l'assassin
J'ai la laideur exacte
De cette vérité qui fait mal à dire

Au voleur chaque fois qu'un poète se noie
Dans le cœur de sa muse et dans le cœur des mots
Moi les mots que j'écris font des mathématiques
On a tué tant d'Algériens !

Au volcur chaque fois que la rime en toilette
Attend l'alexandrin tiré à quatre épingles
Pour savoir un amour je sais les Némenchas
Le téléphone et la baignoire

Au voleur chaque fois que pour faire un poème
On marivaude avec l'Histoire
On fait le beau avec des mots
On se regarde dans la glace

La chaumière et le cœur ?
Sur les hauteurs d'Alger
La villa Susini
Est le château de mes amours...

(p. 55.)

BACHIR HADJ-ALI

Bachir Hadj-Ali est par excellence le poète engagé. L'un des principaux dirigeants du Parti communiste algérien, il est condamné en 1954 dès avant l'insurrection. Arrêté à nouveau après le coup d'État de 1965, il deviendra vite une sorte de symbole. Sa poésie est nourrie par une grande culture, aussi bien française que traditionnelle, alors que sa formation est en partie celle d'un autodidacte. Mais en même temps elle repose sur l'intensité vécue et la révolte, avec une chaleur et une générosité toutes particulières.

Chants pour le 11 décembre (1963)

Serment

Je jure sur la raison de ma fille attachée
Hurlant au passage des avions
Je jure sur la patience de ma mère
Dans l'attente de son enfant perdu dans l'exode
Je jure sur l'intelligence et la bonté d'Ali Boumendjel[1]
Et le front large de Maurice Audin[1]
Mes frères mes espoirs brisés en plein élan
Je jure sur les rêves généreux de Ben M'Hidi et d'Inal[1]
Je jure sur le silence de mes villages surpris
Ensevelis à l'aube sans larmes sans prières
Je jure sur les horizons élargis de mes rivages
A mesure que la plaie s'approfondit hérissée de lames
Je jure sur la sagesse des Moudjahidine[2] maîtres de
[la nuit

1. Célèbres militants algériens ou français victimes de la répression coloniale.
2. Combattants du maquis algérien.

Je jure sur la certitude du jour happée par la nuit
[transfigurée
Je jure sur les vagues déchaînées de mes tourments
Je jure sur la colère qui embellit nos femmes
Je jure sur l'amitié vécue les amours différées
Je jure sur la haine et la foi qui entretiennent la
[flamme
Que nous n'avons pas de haine contre le peuple
[français.

Alger, le 15 décembre 1960, p. 23.

5 juillet

Parce qu'ils ont gardé les clefs transparentes de ma
[ville
Parce qu'ils ont dissipé son avoir, insulté son élégance
Parce qu'ils ont ignoré son savoir et le chant de ses
[arceaux
Parce qu'ils ont scié son minaret aux chevilles, enseveli
[ses sanglots
Parce qu'ils ont remisé dans ses alcôves, sourd à ses
[silences
Parce qu'ils ont chassé des remparts son vendredi[1],
[promenade des gazelles blanches
Parce qu'ils ont tari la fraîcheur de ses citernes solaires
[et le Bleu de ses pervenches
Parce qu'ils ont supplicié ses hommes de foi et l'ombre
[rouge de ses vergers
Ils se sont cru les maîtres de ses collines, de sa brise
[turquoise et de ses îlots
Mais il a suffi qu'au même rythme les lucarnes
[respirent par les patios
Mais il a suffi qu'à l'aube naissante les ruelles se vident
[sur les terrasses
Pour qu'ils se réveillent étrangers perdus dans ma ville
[hostile

1. Le vendredi est jour férié en Islam, comme le dimanche pour les chrétiens.

Occupants désoccupés avec leur rage, leur bave et
[leurs chiens casqués.

Alger, juillet 1961, p. 27.

Nuits algériennes

La nuit, longue est la nuit
Les gens en tremblent
Le lion est détrôné
C'est le règne du chacal

(Paroles d'un prélude algérois.)

Pincer sur une guitare
Khaït laoutar[1] et chasser l'ennui
C'est facile mes frères

Utiliser sur le métier
Khaït men smaâ[2] et rêver de pluie
C'est facile mes frères

Ceindre sur le front de la ville
Khaït errouh[3] et l'espoir luit
C'est facile mes frères

Trancher au boussaadi[4]
Khaït el ghord[5] et tuer la nuit
C'est facile mes frères

Mais dire
La plainte du cèdre déraciné
Mais taire
Les mille souffrances de la chair

1. Cordes d'instruments à musique.
2. Fil du ciel (averse).
3. Fil de l'âme (nom algérien du diadème).
4. Long couteau.
5. Fil du crépuscule.

Quand les tenailles arrachent l'ongle
Ce n'est pas facile mes frères

Ô donnez-moi le souffle de Belkhaïr[1]
Pour dire les nuits dénaturées
Pour dire les nuits algériennes

Écrit à Alger en 1961 et publié par Denise Barrat, *Espoir et Parole*, Seghers, pp. 105-106.

JEAN SÉNAC

La vie entière de Jean Sénac se confond avec la poésie, ou plutôt avec ce déchirement entre l'unanimité et la marge qui peut souvent la caractériser. Fusion avec un peuple algérien qui est peut-être plus sien que s'il en était issu. Poésie d'un engagement qui n'évite pas la trivialité. Et en même temps esthétisme souvent raffiné. Pour ce qui est du thème de la guerre, on retiendra surtout son manifeste *Le Soleil sous les armes* en 1957, et le recueil *Matinale de mon peuple* en 1961.

A Rivet parmi les genêts

Sur la place du marché
ils ont exposé son père.
Dans la nuit froide la pierre
cherche une aile où se poser.

1. Poète algérien mort en déportation, interné à Calvi (Corse) pour sa participation au soulèvement des Oulad-Sidi-Cheikh (1862-1882).

A Rivet parmi
Les genêts et les vignes.

La fontaine est silencieuse
où les massacrés venaient boire.
Un grand ciel envenimé
nous empeste la mémoire.

A Rivet parmi
les genêts et les vignes.

Les villageois se barricadent.
La mechta brûlée vient les mordre :
ils ont peur de rêver.
Le cœur aux chardons, les meilleurs se taisent.

Pays de morts et de mourants,
pays de terribles vivants,
pays de l'espérance abrupte !

A Rivet parmi
les genêts et les vignes.

Écrit en 1956.
Extrait de Denise Barrat,
Espoir et Parole, Seghers, pp. 83-84.

Ces militants
(extrait)

Du laurier au laurier-rose
il n'y a qu'une douleur
Ils le savent
Ils sont humbles

Ils ne pèsent pas sur nos épaules
parce que sur leurs épaules
même le soleil est léger

A ce qu'ils apportent la joie
la confiance
l'élan
vous les reconnaissez

Ô ces dents éclatantes de la Révolution !

S'ils sont armés
c'est de roses nocturnes

Ils ne savent battre
que le blé

Écrit en 1962.
Publié par Denise Barrat,
Espoir et Parole, Seghers, pp. 54-55.

KATEB YACINE

Si *Nedjma*, tout entier écrit avant le 1er novembre 1954, est le roman de la « patrouille sacrifiée qui rampe à la découverte des lignes, assumant l'erreur et le risque comme des pions raflés dans des tâtonnements, afin qu'un autre engage la partie... » (*Nedjma*, p. 187), le théâtre de Kateb, en partie représenté en 1958 à Bruxelles par J.-M. Serreau, donne voix à Nedjma-Femme sauvage engagée dans l'action militante. Ce théâtre apparaît donc bien comme une sorte de prolongement et de complément du roman, qui dirait ce que taisait le premier texte. Cependant là non plus l'exaltation épique n'est pas de mise. Le théâtre de Kateb systématise le tragique de la structure de

Nedjma. *Le Cercle des représailles* est construit sur le modèle de la tétralogie antique. Il débute sur « Le Cadavre encerclé » qui se développe à partir d'un monceau de cadavres d'où se dégage la voix de Lakhdar, et se termine dans « Les ancêtres redoublent de férocité », avant le beau poème final « Le Vautour », par la destruction réciproque des héros qui exécutent ainsi la malédiction des ancêtres, car « toute guerre est fratricide », et que « de l'amour à la mort, la guerre est le plus court chemin » (p. 148).

Le Cadavre encerclé (1959)

Casbah, au-delà des ruines romaines. Au bout de la rue, un marchand accroupi devant sa charrette vide. Impasse débouchant sur la rue en angle droit. Monceau de cadavres débordant sur le pan de mur. Des bras et des têtes s'agitent désespérément. Des blessés viennent mourir dans la rue. A l'angle de l'impasse et de la rue, une lumière est projetée sur les cadavres qui s'expriment tout d'abord par une plaintive rumeur qui se personnifie peu à peu et devient voix, la voix de Lakhdar blessé.

LAKHDAR : Ici est la rue des Vandales. C'est une rue d'Alger ou de Constantine, de Sétif ou de Guelma, de Tunis ou de Casablanca. Ah ! l'espace manque pour montrer dans toutes ses pespectives la rue des mendiants et des éclopés, pour entendre les appels des vierges somnambules, suivre des cercueils d'enfants, et recevoir dans la musique des maisons closes le bref murmure des agitateurs. Ici je suis né, ici je rampe encore pour apprendre à me tenir debout, avec la même blessure ombilicale qu'il n'est plus temps de recoudre ; et je retourne à la sanglante source, à notre mère incorruptible, la Matière jamais en défaut, tantôt génératrice de sang et d'énergie, tantôt pétrifiée dans la combustion solaire qui m'emporte à la cité lucide au sein frais de la nuit, homme tué pour une cause apparemment inexplicable tant que ma mort n'a pas donné de fruit, comme un grain de blé dur tombé sous la faux pour onduler plus haut à l'assaut de la prochaine aire à battre, joignant le corps écrasé à la conscience de la force qui l'écrase, en un triomphe général, où la victime apprend au bourreau le maniement des armes, et le bourreau ne sait pas que c'est lui qui subit, et la victime ne sait pas que la Matière gît inexpugnable dans le sang qui sèche et le soleil qui boit... Ici est la rue des Vandales, des fantômes, des militants, de la marmaille circoncise et des nouvelles mariées ; ici est notre rue. Pour la première fois je la sens palpiter comme la seule artère en crue où je puisse rendre l'âme sans la perdre. Je ne suis plus un corps, mais je suis une rue. C'est un canon qu'il faut désormais pour m'abattre. Si le canon m'abat je serai encore là, lueur d'astre glorifiant les ruines, et nulle fusée n'atteindra plus mon foyer à moins qu'un enfant précoce ne quitte la pesanteur terrestre pour s'évaporer avec moi dans un parfum d'étoile, en un cortège intime où la mort n'est qu'un jeu... Ici est la rue de Nedjma mon étoile, la seule artère où je veux rendre l'âme. C'est une rue toujours crépusculaire, dont les maisons perdent leur blancheur comme du sang, avec une violence d'atomes au bord de l'explosion. (pp. 17-18.)

Les ancêtres redoublent de férocité (1959)

Fin de la tragédie, qui sera suivie par le poème dramatique « Le Vautour », dernier élément de la tétralogie.

Dans le désert où le trio se retrouve seul, Mustapha a tué Hassan, pour la possession de la Femme sauvage-Nedjma. Mais voici que se dessine sur l'écran, « sous l'image du vautour, une colonne de soldats ennemis ». Mustapha doit-il « égorger la rose ou consentir à sa profanation » ?

CORYPHÉE :
Pleurons la proie qui tarde
Exposée à tant de rapaces !
CHŒUR :
Pleurons le criminel qui ne sait plus tenir son arme
L'amante n'a pour lui qu'un ordre inespéré mais il ne peut s'exécuter ni survivre !
CORYPHÉE :
Pleurons le criminel qui ne sait plus tenir son arme
Pour lui surtout nos larmes sont cruelles
A son bras hésitant pèse l'ardent mépris des vierges !
CHŒUR :
Mais toi, femme sauvage
Surprise en ton évasion ramenée à ta peine
Il t'a pillée l'amour des hommes
Les mêmes qui te hissaient dans leur combat
Et dont les bras ne viendront pas te relever de ta chute.
CORYPHÉE :
Il t'a pillée l'amour des hommes qui te hissaient dans leur combat
Et dont les bras ne viendront pas te relever de ta chute !
MUSTAPHA :
Comme un envahisseur ligoté par son crime
J'épargne et je redoute cette proie évasive
Éteinte dans la cendre de celui qui me précède...
CORYPHÉE :
Comme un envahisseur ligoté par son crime !

L'image du vautour a repris le dessus, son vol se précipite comme pour devancer les soldats.

CHŒUR *(angoissé)* :
Le vautour, le vautour, le vautour noir et blanc !
MUSTAPHA *(secouant la femme sauvage)* :
Debout ! le vautour plane

Mais tu n'es pas encore à sa merci
Ton cœur fourmille, c'est l'heure du vautour et de la lutte pour la vie,
J'entends battre ton sang comme un orage incertain tout près de la panique
Et te voici piquée au vif à la portée d'un autre ravisseur !

CHŒUR *(terrifié)* :
Voici le carnassier jaloux, il trace autour de nous le cercle des représailles !

CORYPHÉE *(conjurant le chœur)* :
Colombes de mauvais augure
Fuyez, l'œil du vautour suffirait à vous déchirer
Fuyez colombes de mauvais augure
Insaisissables, déjà blessées, fuyez le culte hostile de l'oiseau veuf.
N'attendez pas qu'il fasse un choix, le vautour implacable !

La lumière s'éteint. Noir absolu.

CORYPHÉE *(lugubre)* :
Le vautour ! le vautour ! Le vautour et l'amant se disputent la morte !

CHŒUR *(dans le noir)* :
Courage, nous entrons dans la mêlée féroce
Dans le fracas du bec et du couteau
Qui s'entrechoquent, qui s'entrechoquent !
Enfin l'oiseau furieux reprend son vol
Il pleut des gouttes de sang ! Il pleut des gouttes de sang !

CORYPHÉE *(toujours dans le noir)* :
L'homme masqué n'a même plus de face.
Il n'aura plus à guetter l'ennemi qui s'avance
Et nous n'avons plus, nous aussi, qu'à tirer nos dernières cartouches.

On entend dans le noir des coups de feu en rafale, des cris de guerre, et la lumière revient peu à peu sur la scène, où les soldats tiennent en joue le chœur encerclé. Le masque ensanglanté, aveuglé par les coups du vautour, Mustapha tâtonne en direction de la femme sauvage dont les soldats s'amusent à vérifier la mort, à coups de pied. En guise de plaisanterie, un officier tient des menottes ouvertes sur le chemin de Mustapha qui se dirige les mains tendues en avant. Au moment où il va toucher une dernière fois le corps de la femme sauvage, les menottes se referment sur ses poignets, tout ceci dans l'impassibilité générale. Puis le vautour réapparaît une dernière fois sur l'écran, battant des ailes, tandis que la colonne, soldats et prisonniers, quitte la scène, abandonnant les deux cadavres. Noir absolu. Coups de gong. On entend la voix du chœur, au loin.

CHŒUR :
Non, il ne mourra pas, il est de ceux qui passent le plus clair de leur vie
Dans la prison ou dans l'asile
Ce n'est pas la première fois
CORYPHÉE :
Il arrive toujours que les armes se vident, le sang a trop parlé
Les vautours ne suffisent plus à l'hygiène macabre
Et la terre engraissée réclame de nouveaux labours.
CHŒUR :
Non, nous ne mourrons pas encore, pas cette fois !
La femme sauvage n'est plus, mais la guerre l'incarne
Et la guerre a besoin de nous.
CORYPHÉE :
Les ancêtres sont satisfaits.
Depuis que nous avons déchiffré leur message,
Fondu leurs chaînes, vécu leur rêve et veillé leur sommeil,
Les fantômes n'ont plus à relever la tête.
CHŒUR :
Les ancêtres sont satisfaits.

(pp. 152-154-fin.)

Deuxième partie

Les questionnements de l'indépendance

L'Indépendance acquise, on s'attendrait à ce que cesse ce dialogue privilégié avec l'Autre, somme toute naturel tant que l'identité nationale n'était pas affirmée. Puisque l'arabisation est un objectif politique prioritaire, on prédit une mort lente de la littérature de langue française, et un développement de celle de langue arabe. Or, si la production de langue arabe se développe en nombre, on s'aperçoit qu'elle reste longtemps d'une grande timidité, tant formelle que de contenu. Et si la production de langue française semble effectivement décliner dans les premières années de l'Indépendance, elle connaît à partir de 1968-1969 une prolifération sans précédent et un renouveau qualitatif indéniable.

Certes, cette dynamique est en grande partie celle d'une opposition au pouvoir en place depuis le 19 juin 1965, et les écrivains qui l'illustrent peuvent paraître marginalisés parfois par leur lieu d'édition comme de résidence, qui est fréquemment Paris. On en arrive cependant à se demander si cette marginalité n'est pas, dans un premier temps, inévitable pour que l'écrivain dispose du recul nécessaire tant qu'il prend pour objet les mutations en cours du pays. En approfondissant la question on précisera plus généralement les rapports, complexes en tout pays mais particulièrement lorsque ce pays se réclame d'une idéologie d'État, entre discours littéraire et discours idéologique. La littérature ne vivrait probablement pas sans l'idéologie, explicite ou implicite, dont elle est plus ou moins une expression privilégiée. Mais en même temps elle se saborderait probablement comme littérature si elle se contentait du rôle passif de porte-parole d'une idéologie avec laquelle son rapport le plus fécond est le plus souvent conflictuel, dans le meilleur sens du terme.

1

Les romanciers et la guerre

Si l'on met à part quelques témoignages de militants sans prétention littéraire, les premiers romans sur la guerre d'Algérie furent tout naturellement ceux d'écrivains qui s'étaient déjà fait connaître sur d'autres thèmes ou dans d'autres genres. Dès lors, la plupart des premiers romans sur la guerre d'écrivains connus refléteront la problématique propre à chacun de ces écrivains. Pour Malek Haddad, Mouloud Mammeri et Assia Djebar, la question sera surtout celle de l'insertion ou de l'efficacité de l'intellectuel dans un mouvement historique qui le dépasse. Question de l'engagement de l'intellectuel plus que de l'écriture en tant que telle. Or ce thème de l'intellectuel n'est-il pas, dans les littératures européennes et américaine comme dans la littérature maghrébine, encore un de ceux des années qui suivirent la Deuxième Guerre mondiale ?

L'écriture de ces trois romanciers est en grande partie celle du roman psychologique. Pourtant Malek Haddad fera preuve d'une indéniable poésie, dans des romans souvent plus portés par le lyrisme que par le récit. Mouloud Mammeri dans *L'Opium et le Bâton* tente d'allier à une épopée du maquis un regard parfois un peu désabusé et surtout très critique. Assia Djebar s'intéresse davantage à l'expérience de la guerre telle qu'elle est vécue au quotidien par des femmes et par des couples. Si *Les Enfants du Nouveau Monde* est peut-être la fresque d'ensemble d'un vécu collectif la plus cohérente, *Les Alouettes naïves* amorcent une intéressante réflexion sur la parole féminine, qui se développera par la suite chez cet auteur.

MALEK HADDAD

Le Quai aux fleurs ne répond plus (1961)

Exilé à Paris à cause de ses activités de militant en Algérie, Khaled se vit coupé de son pays et inutile. Mais il a conscience que cette inutilité est aussi celle de l'intellectuel face à l'Histoire.

C'était Monique qui parlait de l'Algérie. Et parfois, Khaled doutait qu'elle ne fût pas sincère.

« L'Algérie, j'en crèverai.

— Voulez-vous vous taire. Elle a besoin de vous. »

Khaled sourit devant cette formule à l'usage des prophètes mythomanes. Il y a un tas de gens qui pensent qu'un écrivain est nécessaire à la vie et à la survie d'une communauté en lutte. La belle erreur, oui, la belle erreur, c'est une erreur, mais elle est très belle. Les écrivains n'ont jamais modifié le sens de l'Histoire, l'Histoire qui est assez grande dame pour savoir se diriger toute seule. Les écrivains, romanciers et poètes, les artistes en général, ne sont que des témoins, des témoins et des épiphénomènes[1]. Une femme qui est belle est belle sans son coiffeur et, quand bien même ce dernier embellirait sa chevelure, en aucun cas, il ne pourrait se targuer de l'avoir fait pousser. La forêt masque les arbres et c'est très bien

1. Phénomènes accessoires, sans importance.

ainsi. Un patriote ne fait pas la patrie, mais la patrie permet les patriotes. Le reste est prétention et la Résistance conçue dans une autre optique ne serait qu'un facile exercice de style.

« Personne n'est indispensable à personne, Monique, sauf au sommet de l'action et durant le moment essentiellement fugitif d'une responsabilité provisoire à assumer. Il n'y a pas de goutte d'eau qui fasse déborder le vase. Il faut plusieurs gouttes d'eau pour faire déborder le vase, c'est tout.

— Mais vous êtes en contradiction avec vous-même ! Pourquoi donc acceptez-vous d'être un arbre dans la forêt ? »

Khaled n'hésita pas :

« C'est une question d'honneur ! »

Monique insista :

« Et l'amour, qu'en faites-vous ?

— L'amour, c'est mon affaire. »

Ils se turent.

Rien ne crispait plus Khaled que ces sortes de confusions. Il restait des drapeaux sur les Champs-Élysées. Après la pluie de la matinée, ils semblaient des linges tristes qui séchaient.

A brûle-pourpoint, Khaled demanda :

« Mais au fait, Monique, qu'attendez-vous de moi ? »

La réponse vint, toute simple :

« Vous. » (pp. 26-27.)

MOULOUD MAMMERI

L'Opium et le Bâton (1965)

Médecin bien installé à Alger, Bachir Lazrak a voulu ignorer les « événements », jusqu'au jour où on est venu lui demander de soigner un blessé du maquis, et où il a refusé. Mais on n'échappe pas à l'Histoire, et l'arrestation sous ses yeux du jeune messager l'obligera à fuir au village natal, d'où il finira par rejoindre lui-même le maquis.

N'y être pas, c'était une lâcheté négative, un péché par omission. Mais ce qu'il venait de faire c'était une lâcheté bien concrète, bien ronde, avec une couleur : sale, et un poids : écrasant.

« Mon oncle s'est tiré une balle dans la peau... Mon oncle n'a confiance qu'en vous... »

Et si le petit commis avait dit la vérité ? S'il avait dit tout simplement :

« Docteur, à quatorze kilomètres d'ici, nous avons des combattants blessés. Nous ne pouvons pas appeler un médecin français naturellement... »

Le docteur tira le rideau. D'ordinaire, le spectacle toujours renouvelé de la baie d'Alger lui était une diversion. Mais quelqu'un avait brisé le charme. Ces feux drus étaient l'énorme brasier où des milliers de petits commis bien propres, d'ouvriers en espadrilles, de femmes enceintes étaient jetés en holocauste : ils allaient brûler toute la nuit, toute la vie. Cette rumeur était le bruit des chaînes, la plainte énorme des réprouvés. Le petit commis avait désenchanté la rade. Sous la féerie des lumières Bachir voyait le pavé écrasé sous les bottes des militaires, la quête aveugle, apeurée des mitraillettes, la lente procession de files d'Algériens rageurs ou épouvantés, les mains sur la tête comme des anses d'amphores, les recherches éperdues des femmes voilées, des femelles à qui on avait ravi leurs mâles, et qui à longueur de journée faisaient à travers la ville d'interminables courses en pantoufles et quelquefois pieds nus.

....

Brusquement, Bachir vit s'agiter dans tous les sens les soldats de la première patrouille. L'un d'eux tordait le bras du petit commis. Arezki titubait sous les coups. Puis ils le jetèrent dans une jeep. Trois paras y sautèrent après lui et l'encadrèrent. Il essayait de relever la tête et de se tenir droit. Il porta la main à son front pour écarter les cheveux, mais le sang lui couvrait les yeux, les doigts. La jeep démarra en trombe vers la basse ville dans un bruit de pneus crissant sur le goudron.

Bachir sentit son cœur battre follement. Ses genoux soudain ne le portaient plus. Il s'assit, porta la main sur son front : il était moite de sueur. Dehors une voix de femme glapissait :

« Tuez-les, tuez-les tous ! » (pp. 43-45.)

> Chef d'un groupe de maquisards, Ali a été capturé et vient d'être exécuté publiquement sur la place où l'armée avait fait rassembler tout le village. C'est l'occasion pour Mammeri de développer une description épique du cri des femmes qui n'est pas sans rappeler celle de *La Colline oubliée* lors du départ des jeunes gens du village pour la guerre de 1939-1945 (*cf.* l'extrait reproduit ici, pp. 21-22). Mais à cette dimension poétique, Mammeri ajoute la multiplicité des points de vue. La culture classique de l'officier français, même si le contexte le met à mal, n'en surprend pas moins là où certains auraient présenté une caricature de tortionnaire.

On n'entendait plus dans le silence que de temps en temps la rumeur confuse des animaux vers la S.A.S[1] et les appels des bergers qui tentaient de les retenir. La voix de Farroudja se mit à geindre : « Ali, mon frère ! » très doucement.

Puis un cri sauvage brusquement déchira l'air épais où ils avaient tous peine à respirer. Le youyou de Tasadit, dément, échevelé, brisa la chape de silence où ils étouffaient.

D'autres lui répondirent, puis d'autres encore, puis la place de Dou-Tselnine ne fut plus que la grève

1. Centre d'administration militaire du village.

rouge sur qui déferlait, strident, aigu et exalté, le hurlement inépuisable sorti des bouches de toutes les femmes de Tala. Il y en avait de toutes les sortes : les clairs et triomphants qui sonnaient la charge au milieu de la poudre et de la poussière, les coupants comme des lames, les aigus comme des cris de colère, les calmes comme la vérité, les fous ! Quand l'un à bout de souffle s'abaissait et semblait près de mourir, un autre se levait tout neuf ; il commençait en trilles très doux comme d'un ruisseau susurrant mais très vite il montait, incisif, s'étalait dans la fureur ou la victoire un temps interminable. L'élan était pas encore brisé qu'un autre jaillissait déjà pour le relayer.

Un instant très bref la voix du professeur de latin traduisant Salluste revint à Marcillac, et du fond de l'horizon il vit charger en hurlant le galop enivré de fins chevaux montés sans selle par les cavaliers aux yeux noirs du barbare Jugurtha. Il rouvrit les yeux : devant lui le cadavre en croix d'Ali continuait d'imprimer dans la poussière le baiser mouillé de ses lèvres entrouvertes.

Au début le capitaine sentait les youyous déferler par-derrière sur son dos, comme quand, par mer calme, sur la plage d'Aïn-Taya, les vagues le submergeaient d'un mouvement régulier et doux, au ras de l'eau. Mais vite la tempête se déchaînait et, quand le hurlement barbare était au paroxysme de l'exaltation, le capitaine sentait les impacts d'une grêle de balles pleuvoir sur ses épaules et le déchirer de partout. (pp. 365-367.)

Supprimée lors de l'adaptation cinématographique, la fin de *L'Opium et le Bâton*, prenant pour prétexte un séjour de Bachir au Maroc déjà indépendant, introduit un recul critique devant les finalités des Indépendances. Car la courte liaison amoureuse de Bachir et d'Itto n'empêchera pas celle-ci de rejoindre le mari qu'elle n'a pas choisi, après avoir assisté à Rabat au procès d'un opposant politique.

« Tu pleures ?

— Maintenant, dit-elle, il faut que je parte, on doit m'attendre pour la fête. »

Ah ! oui, la fête ! il l'avait presque oubliée ces jours-ci. Il se rappela qu'il y avait aussi le procès. La veille les petits crieurs de journaux en descendant en trombe le boulevard avaient annoncé le verdict pour le lendemain.

« Il a été jugé ? dit-il.

— Non, dit Itto entre ses dents serrées.

— Ce n'était pas pour aujourd'hui ?

— Ils ne l'ont pas jugé, ils l'ont exécuté.

— Combien ?

— A mort », dit-elle, et elle se jeta sur le lit en étouffant ses sanglots.

Elle se leva bientôt après.

« Pardonne-moi, dit-elle, je ne recommencerai plus. Aussi bien n'est-ce pas de larmes qu'il a besoin... »

Bachir la regarda. Ses yeux avaient repris leur éclat fixe.

« Après l'opium, le bâton ! »

Elle lut la surprise dans le regard de Bachir.

« C'est une formule de toi.

— Je sais, mais que vient-elle faire ici ?

— Après l'opium du journal le bâton du juge. Ce sera comme ça dans ton pays ?

— Comment veux-tu que je le sache ? Notre pays n'est pas encore à nous. »

Elle alla au lavabo tamponner doucement d'eau froide ses yeux enflés.

« Et voilà, dit-elle, il est fini mon tour en ville ! Fini aussi mon mois de liberté ! Il faut maintenant que je rentre, tout le monde doit m'attendre pour la fête. Je vais rentrer sous la tente... et sous la loi... de Reho-Ou-Heri. Adieu !... » (pp. 240-241.)

ASSIA DJEBAR

Les Enfants du Nouveau Monde (1962)

Le mari de Cherifa sera arrêté si elle ne va pas le prévenir en traversant pour la première fois la ville, ce qui est contraire à toutes les traditions dans lesquelles elle a vécu jusqu'ici.

Pour une épouse heureuse vivant au cœur d'une maison d'où elle ne sort pas, selon les traditions, comment prendre, pour la première fois, la décision d'agir ? Comment « agir ? » Mot étrange pour celle qu'emprisonne l'habitude (et cette habitude, la ressentir tel un instinct, comme si toutes les femmes de sa famille, des maisons voisines, des générations précédentes la lui avaient léguée en héritage, sous forme de sagesse impérative) de ne destiner son comportement qu'à un homme, l'époux, le père ou le frère, de n'entrevoir qu'à l'abri de son autorité, que dans le miroir de son jugement les mille incidences de la vie. Mot nouveau auquel le sort (« Le sort, vraiment ?... ») l'accule et qu'elle voit soudain surgir, riche de promesses et de fruits : « Agir ! Moi ? Moi ?... » Peut-être est-ce ce que se dit Chérifa ; peut-être se prend-elle pour une personne familière de la pénombre et qui aurait par hasard heurté le soleil, l'intuition l'envahissant alors qu'elle ne pourra se contenter de s'aveugler de cette lumière, mais qu'il lui faudra aussi inventer un autre pas, une autre démarche — une autre façon de voir, d'être vue ; d'exister.

« Il faut que je prévienne Youssef !... Hakim va revenir ; peut-être va-t-il découvrir le mensonge de sa femme... Peut-être n'ont-ils pas besoin de preuve pour l'arrêter... peut-être... » Mais Chérifa n'a plus à s'appuyer sur des mots. Elle a décidé. Immobile, elle vibre pourtant : une flèche au début de sa trajectoire.

Elle se lève, ouvre l'armoire, sort plusieurs de ses voiles de soie blanche, choisit le plus vieux. Le large miroir est en face de l'entrée, immense ; ce matin elle l'a découvert du drap blanc qui l'enveloppait depuis la mort de Lalla Aïcha, en signe de deuil. Elle se drape devant lui, ne laisse découverts, de son visage, que les yeux. Elle s'examine, craint un moment d'y voir son hésitation ou son audace : c'est la première fois qu'elle va sortir seule, et seule aller en pleine ville. (pp. 137-138.)

Touma, qui trahissait les maquisards en même temps que l'honneur de la famille, vient d'être assassinée par son frère Tawfik, sous les yeux de Bob avec qui elle avait accepté un rendez-vous. L'intérêt de ce passage, outre ses qualités narratives et la belle image finale, est aussi d'éviter les clichés faciles du manichéisme.

Le corps de Touma est resté sur le sol, appuyé ainsi à demi, sur le côté ; le cercle des hommes a eu le temps (« son frère ! — oui, c'est son frère ! — il a vengé son honneur ! — Dieu ait pitié de lui ! ») de contempler à loisir la victime abattue. Puis ils se sont mis à reculer ; leurs rangs s'éclaircissent.

— « Cela ne nous regarde pas. » — « Affaire de famille. » — « Partons, c'est plus sûr. » — « Je n'ai rien vu. » — « Tant de morts, à présent, tant de meurtres ! Que les temps sont étranges ! » — « Non, c'est l'heure de la justice ! » — Les mots courent. Les derniers témoins tournent le dos à Touma, à la place. Il est temps pour eux de rentrer, avant la nuit. Déjà, on entend les camions militaires redescendre, grondement sourd, vers la ville ; l'opération sur la montagne est terminée.

Bob est seul maintenant, Touma à ses pieds. A sa même place, son torchon dans les mains, le garçon de café observe toujours. Lui, n'a pas bougé ; il ne s'est pas mêlé à la foule qui, maintenant, derniers soubresauts d'une bête disloquée, a déserté peu à peu les lieux. Au loin, une sirène : la police, enfin. Deux jeeps ; au volant de la première, Martinez qu'on vient de prévenir.

Tandis que les cris stridents des voitures effilochent le silence, Bob, au milieu de la place désolée, se penche sur Touma, la soulève. Et le garçon, avant de pénétrer dans son café vide, l'aperçoit qui erre autour du kiosque : le corps de la jeune fille sur ses bras tendus de suppliant, il déambule aveuglément. (pp. 281-282.)

Les Alouettes naïves (1967)

La guerre est en partie prétexte, dans *Les Alouettes naïves*, à une analyse souvent fine de l'évolution ou de la stagnation des relations entre hommes et femmes parmi un groupe de maquisards algériens à Tunis. Ou encore à des réflexions sur l'engagement ou sur l'écriture qui approfondissent et renouvellent les perspectives dessinées jusque-là par l'auteur. Mais une partie de l'intrigue a également lieu en Algérie même. On y verra ainsi l'action militante féminine à travers le personnage de Nadjia, ou encore, comme dans le présent extrait, comment les tantes de Nfissa, sous une impassibilité qui n'est qu'apparente et augmente l'émotion, sont soudain frappées de plein fouet par la mort du fils de l'une d'elles. De tels passages, en italiques dans le roman, amorcent avec une grande poésie cette représentation d'une parole féminine qui sera l'un des aspects dominants de l'œuvre ultérieure d'Assia Djebar.

Quatre heures de l'après-midi. Dans le patio, au centre, un puits à la margelle ronde ; les dalles autour sont usées des flaques des matins. Deux des tantes font de la couture pour les bourgeoises de la ville ; la plus jeune est dentelière réputée. Près de la porte, un citronnier ; chaque jour de la belle saison, les fillettes des voisins viennent demander deux ou trois citrons, et les tantes donnent, en souriant. L'une aime rêver, tandis qu'elle brode. Depuis dix ans, elle fait le même rêve informe : quelqu'un, image floue, descendra de la montagne, il ne sera pourtant ni rude ni paysan, les mains ouvertes et un grand rire sur le visage... L'adolescent est sorti en courant.

Elles posent la table basse, prennent le café à petites gorgées. Une galette simple aux herbes de printemps, que la veuve a préparée le matin. Demain ou après-demain, viendra de son village Lalla Aïcha.

« Nfissa ? dit la première, quelles sont les nouvelles ?

— Que Dieu la garde, soupire la veuve.

— Prière sur le Prophète ! » répond la troisième.

Dehors, un début de rafale. Claquements en cascade. Les tantes boivent à petites gorgées. La veuve demande à sa plus jeune sœur :

« J'ai mis dans le café quelques gouttes d'eau de fleur d'oranger. Tu l'aimes ? »

La plus jeune ne répond point, elle regarde toujours la montagne. Oui, un grand rire sur le visage, ainsi, il viendra.

Dehors, une seconde rafale. Les balles soudain s'éclairent au-dessus des terrasses. Ces trois femmes s'arrêtent de boire. La dentelière garde l'ouvrage en main, quand la plus jeune d'un accent brusque :

« Ô ma sœur, vois ce garçon, on dirait un oiseau qui vole !

— Prière sur le Prophète ! » s'exclame la veuve.

Deux, trois maisons plus loin, sur une terrasse aux dalles rouges, est tombé celui qu'on poursuivait. L'adolescent avait jeté enfin sa grenade, juste au sortir du quartier, au milieu de la garde. Aussitôt la poursuite avait commencé. « Ô ma sœur, vois ce garçon, on dirait un oiseau qui vole ! » a murmuré la tante et le garçon en effet, blessé déjà, est passé par-dessus sa propre terrasse pour aller mourir un peu plus loin.

Le soir, les soldats au bruit de cuivre le jetteront au-devant de la porte. Les trois femmes tireront le cadavre jusque sous la margelle du puits, avant de se baisser, gémissantes, au-dessus de lui. (pp. 208-209.)

Dans la postface de *Qui se souvient de la mer*, Mohammed Dib souligne le fait que décrire l'horreur « dans ses manifestations concrètes lorsqu'on n'a pas à dresser un procès-verbal serait se livrer presque à coup sûr à la dérision qu'elle tente d'installer partout où elle émerge. Elle ne vous abandonnerait que sa misère, et vous ne feriez que tomber dans son piège, l'usure. » Et il se demande donc « comment faire afin que tout ce qu'il y a pourtant à dire puisse être entendu et (...) ne se dissolve pas dans l'enfer de banalité dont l'horreur a su s'entourer et nous entourer ? »

C'est là probablement la question majeure de tout travail d'écriture sur la guerre, en quelque pays que ce soit. Mais c'est aussi le problème plus général de l'écriture, toujours en quête d'objets dont la fascination, moteur du dire, vient précisément de ce qu'ils sont irréductibles à des paroles convenues, et de ce qu'ils obligent de ce fait le poète à réinventer sans cesse les mots par lesquels nous appréhendrons de façon plus juste notre réalité changeante. Pour l'instant, Dib a choisi de piéger à son tour l'horreur qui défie son dire, en renonçant à la description ou au récit « objectif », et en se faisant comme Picasso peignant *Guernica* « accoucheur de rêves », de « rendre ce qui ressemble fort au mariage du paradis et de l'enfer (...) par des images, des visions oniriques et apocalyptiques ».

Quelques années plus tard, il sera rejoint dans ce travail qui récuse nécessairement la description psychologique traditionnelle, par Kateb Yacine dans l'écriture éclatée du *Polygone étoilé*, mais aussi par de nouveaux écrivains comme Mourad Bourboune, Rachid Boudjedra, et surtout Nabile Farès. Chacun de ces écrivains développe à sa manière la question de l'efficacité du récit comme écriture plus que comme outil didactique.

MOHAMMED DIB

Qui se souvient de la mer (1962)

Quel que soit le détail de ses exactions quotidiennes, toute répression se traduit d'abord par une raréfaction du langage, de la communication, réduite à une dimension univoque, mécanique. La lourdeur de pierre de ces paroles qui ne passent plus ou dont la signification se raréfie va donc s'opposer à la communication libre et plurielle de l'ancien temps, air de flûte aux bonds légers et imprévus de chèvre, dernier vestige de vie là où se forme désormais un silence de basalte.

Et cette aventure commence à peine. Un lot d'hommes avait d'abord été enlevé. Les épouses, les enfants allèrent quémander la vérité sur le sort des leurs à toutes les portes. En même temps, une petite chanson, un babil errait sur les lèvres du vent. Ils s'en furent voir l'Hospodar[1], ils pleurèrent tandis que la chanson s'enroulait ingénument autour de leurs jambes, supplièrent, et les femmes tombèrent à genoux devant les minotaures[2] placés en sentinelles. Leur baisèrent la

1. Ancien titre des princes vassaux du sultan de Turquie.
2. Dans la mythologie grecque, le minotaure est le monstre auquel s'affronte Thésée.

main. Leur tendirent les mioches qu'elles avaient au bras. Un air de flûte donnait des cornes contre les jambes, contre les ventres, frêle mais têtu. Les minotaures les repoussèrent sans comprendre un traître mot à leur baragouin[1]. Alors l'air capricant[2] de flûte s'en alla bondir au loin parmi des odeurs de thym et de lentisques, et dans toutes les maisons, tous les magasins, sous les paroles un silence de basalte se forma. Il était partout le même, sans fissure. D'un simple mot, on le sentait, touchait. Ensuite les murs se déplacèrent puis se replacèrent autour de nous sans tenir compte de l'alignement ancien, mais non sans observer ce que je suis bien obligé d'appeler un dessin général, lequel consistait en une volonté très nette d'enveloppement de l'intérieur comme de l'extérieur. Cela provenait du fait que la ville s'était noyée dans le basalte ou plus exactement que le basalte l'avait recouverte. Le résultat aussi fut que les mots renoncèrent à être des paroles et se changèrent en certaines choses qui ressemblaient à des galets avec lesquels nous allâmes cogner partout, essayant de sonder jusqu'où allait la profondeur des strates. Il se propagea ainsi une musique qui ne manquait pas d'une curieuse douceur mais qui se pouvait facilement confondre avec les pas de la taupe si l'on ne jouissait pas d'une ouïe exercée — et même avec les coups de boutoir de la mer qui régnait beaucoup plus bas.

. . . .

Hier, pour la première fois, on entendit éclater une mitraillade. C'était Lkarmoni qui, ne pouvant plus se retenir, s'en prenait à sa femme. L'accès était si violent que les galets qu'il rejetait explosaient et délivraient le cri qu'ils renfermaient. Tous les locataires écoutaient. Nous comprîmes bientôt que ce n'était pas contre elle

1. Langue que l'on ne comprend pas et qui paraît barbare.
2. Du latin *capra*, chèvre : inégal, saccadé, sautillant.

qu'il en avait mais qu'elle servait de truchement. Plus nous craignions qu'il ne s'étranglât avec ce qui passait par sa gorge, et plus sa voix se renforçait, frémissait. En un sens, il nous libérait tous. Gênée sans doute par la pierraille répandue autour d'eux, sa femme essayait de le calmer. La mer embrassait ainsi les pieds de l'homme jadis, se souvenant encore du temps où elle le portait. (pp. 18-19.)

Dans la ville condamnée où il a dû abandonner tous les liens qui le retenaient à une existence « normale », le narrateur a même fini par accepter que sa quête de Nafissa, sa femme disparue, se révèle double quête initiatique. Quête d'une entrée dans la ville du sous-sol, qui peut en partie représenter le maquis. Mais quête aussi, plus globalement, d'un sens ésotérique : celui-là même auquel on n'atteint qu'au prix de sa propre perte, et qu'on reçoit avec ce rire de qui sait l'inconnaissable. Rire d'une sagesse désespérée qu'on va désormais retrouver, avec des significations diverses mais voisines, à la fin de plusieurs romans de Dib.

Du temps passa, beaucoup de temps ; j'étais calme. Un autre grondement roulait dans les profondeurs, dans le lointain. Derrière moi, soudain, un heurt violent ébranla la boutique. C'était à son tour maintenant d'être détruite, de céder aux explosions. El Hadj me cria alors de ne pas tourner la tête, quoi qu'il advînt. Il n'avait pas plus tôt fini de me dire cela qu'une étoile brilla comme mille soleils dans mon dos. J'eus froid. Elle chanta. Un flot de sang se mit à courir entre mes pieds, gagnant promptement la rue. Un terrible coup dans les reins me jeta ensuite sur la marche de la porte : l'étoile avait explosé sans faire de bruit, émettant seulement une sorte de hoquet. Le sang tarit mais le chant ne s'arrêta pas pour autant. Cloué dans l'encadrement de l'entrée, j'écoutais et retirais de ce chant la certitude qu'il ne restait plus rien d'El Hadj, qu'il n'y avait *rien* derrière moi qu'un vide absolu, opaque. Je n'essayai pas de regarder ou de me relever. Une cassure mauve dans le mur, devant moi, en forme de dague, me fascinait. Aussi je n'avais pas vu — ni entendu — arriver le garçon aux pieds nus.

« Je vous prie, relevez-vous.

— Pardonnez-moi. »

D'un saut, sans difficulté, je me mis sur mes pieds.

« Donnez-moi la rose. »

Comme j'hésitais :

« Vous comprendrez plus tard », dit-il.

Dès que je lui eus mis la fleur dans la main, mes yeux se fermèrent.

Bientôt, je sentis que je marchais. J'avançais, suivant le jeune homme, que de nouveau je ne voyais ni entendais, à une allure rapide, flottante, dans des rues étrangement paisibles, désertes, attentives. L'air noir était doux autour de moi, des projecteurs s'y allumaient et s'y éteignaient lentement.

Mes yeux s'étaient rouverts. Je me mis à rire. (pp. 182-184.)

KATEB YACINE

Le Polygone étoilé (1966)

Cette impossibilité de narrer l'horreur se retrouve dans *Le Polygone étoilé*, à travers une sorte d'éclatement généralisé du texte, et de multiplication du fragment. Ces deux procédés évitent le simplisme idéologique et inscrivent l'épisode guerrier dans un ensemble plus vaste : la réalité toujours insaisissable, tant du pays que du texte, que de l'identité du scripteur. Dans le passage retenu ici, l'horreur de la torture, mieux que par une description, est rendue plus insupportable encore par le recours à son contraire apparent : le comique.

Parmi les tortionnaires, un seul parlait l'arabe. On l'appelait le Docteur. Un jour, il vint chercher un vieux fellah. On l'avait amené la veille, pour avoir enterré une mitrailleuse dans son jardin.

Une mitrailleuse !

Le vieux ne savait pas ce que ça voulait dire. Sa moustache affolée, ses yeux mi-clos, sans un regard, comme ceux d'un chat qui rêve, ses grosses mains tremblantes, son grand mouchoir multicolore, ses amulettes, sa montre d'un autre siècle, tout en lui protestait contre ce mot savant, cette arme ultra-moderne tombée dans son douar comme un aérolithe. Qui l'avait dénoncé ? Peut-être un autre paysan torturé comme lui.

Ker ! Krrrrr ! crrrrrrr ! Ker ! Krrrrrrrrrrr ! disait le Docteur.

Il voulait dire : Avouc !

Mais il aurait fallu un Ker plus guttural.

Le Docteur ne pouvait ni appuyer le K, ni même rouler le *r*, à la manière arabe. C'était pourtant dans cette langue qu'il prétendait faire parler le fellah, pour montrer qu'il était un Pied-Noir averti, connaissant le jargon du peuple.

Ker ! Ker ! Ker !

Le fellah aux abois ne savait que répondre. Il suffoquait, se débattait, et ne comprenait pas, ne pouvait pas comprendre. En désespoir de cause, il se mit à crier, lui aussi, comme le Docteur :

Ker ! Ker ! Krrrrrrr ! Ker !

C'était donc si facile ! On ne lui demandait qu'une onomatopée, le cri d'une grenouille ! Oui, M'sieu. Ker ! Krrrrrrr !

Et l'interrogatoire se termina encore une fois par la douche collective sous le tuyau des inspecteurs, car nous avions suivi toute la séance, et, en proie au fou rire, nous répétions en chœur : Ker ! Ker ! Ker ! Krrrrrrrrrrr ! (pp. 134-135.)

Écrite en quelque sorte depuis l'incision des meurtres de la guerre, l'essentiel de l'œuvre de Farès se déploie comme une blessure. Celle d'une modernité brutale de *ce* monde qui fait de nous tous des exilés, dans cette « déflagration meurtrière de votre terre » avec laquelle cette écriture se confond pour dire : « Votre pas et votre désir désaccouplés... Notre règne parmi les pierres, les herbes, et vos champs. Aucun lieu. Il n'existe aucun lieu en ce Monde » (Couverture du *Champ des Oliviers*).

Autant dire que si le propos initial de l'auteur était, dans *Yahia, pas de chance*, de raconter son expérience du maquis, il s'est aperçu bien vite que l'énormité ne peut se raconter. Que seule tente de se dire la blessure. Celle du pas brutal de Yahia enfant puis étudiant heureux vers une violence qui s'impose à lui. Celle de l'enlèvement du père, ou de la mort des proches. Mais surtout celle d'une impossibilité à vivre dans un monde où l'homme tue, où, aujourd'hui comme alors, la Terre-splendeur et cette joie de vivre que Farès sait si bien dire nous sont enlevées.

NABILE FARÈS

Yahia, pas de chance (1969)

Ce « pas de chance » du titre de ce livre est à la fois la violence qui à deux reprises arrache Yahia à son bonheur de vivre, et le « pas de la chance » de ce nécessaire passage à l'âge adulte par le *dire* difficile de la guerre. Dire dont les différentes étapes chez l'enfant sont fort poétiquement narrées dans un très beau chapitre (pp. 34-47) du roman. Ainsi le titre déjà signale l'impossibilité pour un langage uniquement idéologique à dire la profondeur du vécu. Or ce langage qui ne connaît pas le chant du rossignol est précisément celui du cousin Mokrane, qui vient demander à Yahia sa chambre d'étudiant parisien pour le F.L.N.

« Merde », avait dit Mokrane. « C'est bizarre, avait dit Yahia, tu n'emploies que des mots gros. Tu vas devenir énorme. Les mots, ça peut devenir étouffant. Le sais-tu ? hein, Mokrane, le sais-tu ? » « Écoute, Yahia ! » « J'écoute, avait dit Yahia, mais auparavant il me faut une histoire... une histoire pas du tout idiote... comme celle d'Aloula et oncle Saddek... et que je la comprenne, comme je comprends la pluie ou le chant du rossignol... mais, Mokrane... connais-tu le chant du rossignol ? » « C'est cui-cui ou tiou-tiou, dans la vigne sauvage », avait dit Mokrane dans un geste de bras qui manifestait combien il était peu sensible à ce genre d'évocation. « C'est bien ça, avait dit Yahia, tu ne connais pas le chant du rossignol. Est-ce que l'Organisation connaît le chant du rossignol ? » « Yahia ! tu m'énerves », avait répondu Mokrane. « Alors ne m'écoute pas, moi, mais écoute le chant du rossignol... lui aussi ne dort et n'a pas sommeil... histoire d'amour et de pauvreté... cui-cui... c'est pour les imbéciles et les ignorants... le chant du rossignol, c'est tout autre chose... bien plus près de nous que l'Organisation... plus intime à saisir dans notre désir de vivre... je ne me rappelle plus très bien toutes les paroles du chant, mais je sais qu'il a connu (le rossignol) une mésaventure... il s'était fait prendre dans la tresse d'une vigne sauvage qui naissait au printemps, à la limite des deux mondes... cela aurait pu être le village et la montagne, le jardin et la maison... la femme et son enfantement... je ne sais plus très bien... les deux mondes, je les connais dans leur déchirure et leur limite... et cette limite n'est nullement de l'indifférence... elle participe d'un choc... peut-être celui du désespoir ou de l'impuissance... je ne sais pas très bien... car se mêle au désespoir et à l'impuissance autre chose de très réconfortant, comme si le choc laissait entrevoir une qualité précieuse où, vers la mort, s'ouvre une communion... c'est très loin de cui-cui et de tiou-tiou... très proche de ce que nous sommes, moitié-peur-moitié-force... (pp. 138-139.)

Le Champ des Oliviers (1972)

Le Champ/Chant des Oliviers est à la fois le lieu de mort-splendeur du cousin Ali-Saïd, fauché par l'armée française, et le chant de cet écartèlement, « l'espace qui brûle autant soi, la terre, que le livre ». Une autre des violences à partir desquelles se déploie le livre est l'enlèvement du père, militant célèbre dans la réalité comme dans le roman. On appréciera surtout combien cet enlèvement n'est pas ici simplement narré, mais comme les multiplications de niveaux, les ruptures syntaxiques et les images poétiques donnent au passage une dimension qui dépasse de loin l'événementiel.

Et lui Le père cinquante-sept oui cinquante-sept comme l'année comme le jour *Grives. Jeunes Grives. Pourquoi Hmidouche est-il parti ? Déjà ? Ou. A peine.*

Loin de nous. Après trois mois de lutte. Trois mois. Presque comme le père. Dites ? Grives. Jeunes Grives. Cinquante-sept ans comme la nuit le jour la forêt.

Cinquante-sept ans comme la nuit où ils étaient venus le prendre Là Dans sa maison Chez lui Sur ces hauteurs d'où l'on voit Alger La rade lumineuse L'ombre tiède Au loin quelques mouvements et lumières qui montrent l'autre monde Celui vers où s'embarquent les miens les nôtres Ceux qui fuient la guerre ou la misère Ceux qui peuvent encore fuir la guerre ou la misère Terre Terre Splendeur à mon regard *Je déchire la mer comme un drap au-dessus de ton abîme. Je déchire ce rire salé de l'eau comme une source Ma gorge et Ma vue. Terre Splendeur accrochée à mon regard. Le gardien du monde. De ce monde est devenu fou. Il nous envoie de par le monde. Il nous fait croire qu'existe de par le monde quelque lieu endroit où chantent les oliviers. Terre Ô Terre Poudreuse et Vierge Encore Vierge à mon accent Terre Ô Terre Comment arrêter la migration Notre migration de par le monde Le gardien du monde De ce monde Est devenu fou Terre Ô terre* Ceux qui fuient de par le monde l'indigence de leur monde Lumières en mouvement sous le ciel *Je vois plusieurs lettres qui incendient la mer Là Dans le silence des algues Plusieurs lettres qui parlent de ce monde où je ne peux vivre Ce monde ? Celui de tous les êtres. Ce monde ? OUI. Plusieurs lettres qui incendient ce monde. Le sable La couche Moi-Même Mon corps dans l'incendie du monde. Je connais plus de quatre mille êtres exilés de par le monde. Exilés dans leurs habitudes. Leurs rires. Leurs joies. Leurs larmes. Leurs espérances. Je connais plus de quatre cent mille êtres exilés dans leur travail. Leurs amours. Leur magnificence. Et je connais plusieurs Grives. Jeunes Grives. Exilées dans leurs jouissances.* OUI. Terre *Poudreuse Vierge Encore Vierge à notre jouissance.* Terre Splendeur à mon regard Cette nuit du monde Cette nuit où les hommes pénétraient *Plusieurs* Dans la villa

Le chien avait été tué net. Un coup de crosse sur la nuque. Aucun cri ou aboiement. La langue était encore prise dans le mouvement de gueule. Les pattes pliées sous le ventre comme en une course une course interrompue une course le coup la main le cou la main qui avait assené le coup. « Ils ont tué le chien le chien » disait Abdenouar. « Ils ont tué le chien. » La mère tenait maintenant le visage les joues du fils contre son sein. Elle serrait les joues du fils là Encore A l'entrée de la porte Au bas des cinq marches Où était le chien. « Ils ont tué le chien » disait Abdenouar. La mère serrait les joues du fils « Ne pleure plus. Ils ont pris ton père. Ne pleure plus. Tu ne dois plus pleurer en deçà du père. » Ils avaient fermé le quartier. La rue. Plusieurs silhouettes que l'on voyait. Plusieurs voitures. Civiles. Et. Militaires. Plusieurs voitures qui mettaient les moteurs en marche. Là. Dans les diverses rues du Clos Salembier. *« Votre mari est un sage... »* avait dit l'officier *« ... il s'en tirera... » « il s'en tirera. »* Comme si tout devait devenir possible. Impossible. *« il s'en tirera... »* De plus en plus impossible.

La mère tenait le fils. Il y avait aussi la vieille femme. La plus vieille femme. Celle qui se tenait Maintenant Presque aveugle Au bord des marches *Ô Terre Terre* Ma vision et Tous ces cris éparpillés dans mes voiles Ma vision et Mon Sang Désormais réunis dans le partage de ce monde J'aurais pu dire Au moment où ils apprêtaient leurs armes Que ma vue Ma vie Leur coûterait beaucoup de présence humaine Mais

Oui Mais Dans cet instant Où bat l'enlèvement des hommes Le cœur de l'homme au nom ouvert j'ai quelque crainte Moi Vieille femme au bord d'une vue (pp. 131-133.)

La mémoire est aussi subversive. La Révolution algérienne eut comme toute Résistance ses « ratés », ses règlements de comptes internes, parfois meurtriers. L'écrivain peut-il, doit-il les dire, et comment ? Dès 1968 dans *Le Muezzin*, Mourad Bourboune dénonce les trahisons. Il sera suivi par Rachid Boudjedra, Nabile Farès et d'autres, en français. En arabe, Tahar Ouettar est encore plus explicite dans *L'As*, dont le texte arabe est cependant publié très officiellement en 1974 par la S.N.E.D., éditeur national (la traduction française devra attendre 1983, et sera publiée en France). Mais il est peut-être plus efficace dans la fable, par exemple dans la nouvelle *Les Martyrs reviennent cette semaine*, également publiée à Alger. Dans *Le Démantèlement* enfin, présenté comme écrit en arabe et traduit par l'auteur, qui jusqu'ici n'écrivait qu'en Français, Rachid Boudjedra fait du massacre d'un groupe de maquisards par leurs camarades de combat le thème central d'un récit toujours problématique (on verra ce texte, dont les deux versions datent de 1981 et 1982, en troisième partie). Mais la mort non narrable du Devin n'était-elle pas déjà le récit interdit vers lequel progressait (sans y atteindre) la narration de *La Répudiation*, son premier roman, en 1969 ?

En même temps que ces textes durs, se développe aussi toute une littérature de commémoration, à la qualité souvent médiocre. Certains de ces textes conventionnels publiés à la S.N.E.D. ou dans l'éphémère revue *Promesses* dirigée par Malek Haddad, font preuve cependant de qualités littéraires certaines. On soulignera par exemple la précision d'un récit comme *L'Évasion* (1973) d'Ahmed Akkache, ou de ceux de Mouloud Achour, et l'intéressante mais maladroite tentative de renouvellement littéraire tentée par Rachid Mimouni dans *Le Printemps n'en sera que plus beau* (1978), ou bien le cri chaotique mais parfois poignant de *La Grotte éclatée* (1979) de Yamina Mechakra. Malheureusement les livres parus à la S.N.E.D. (devenue E.N.A.L.) ne sont pratiquement pas diffusés hors d'Algérie.

MOURAD BOURBOUNE

Le Muezzin (1968)

Muezzin, bègue et athée, et l'un des principaux responsables du maquis en France métropolitaine, Saïd Ramiz a été envoyé en mission périlleuse à la veille de l'Indépendance. Retenu en prison, il a ainsi été évincé de ce qu'il considérera comme la liquidation de la Révolution. Le roman, le plus souvent à la première personne, est essentiellement le récit de son enquête impossible, une fois libéré, pour tenter d'y voir clair.

Ou bien on m'a menti depuis le début, c'est une des conclusions logiques que je peux tirer moi, le Muezzin, de cette sanglante turquerie[1] qui commença par un craquement d'os broyés savamment orchestré pour s'achever à mi-course avec le lever-des-couleurs-à-vos-ordres-mon-colonel. Mais tout se complique avec

1. Fête faussement orientale. On pense à celle du *Bourgeois gentilhomme* de Molière.

la disparition de l'oncle mort comme le père à l'orée du grand âge, noyé à l'embouchure du Rummel[1] en plein été dans pas assez d'eau pour rafraîchir une pastèque. PLUS Mustapha qui continue le cycle du retour à l'élément liquide, son corps à pic dans la Seine a entrepris l'exploration du dédale des fleuves occidentaux. PLUS Farid, victime expiatoire, pour moins que ça j'eusse décrété la guerre civile. Je ne suis pas clair. Trop de morts sont devenues inutiles et de sangs caducs, d'où la nécessité d'autres immolations pour parvenir à l'Explication, encore alimenter la coulée sanguine jusqu'au poteau de fin de course. Je n'ai rien, rien d'autre à dire. Saïd Ramiz, fils, petit-fils, arrière-petit-fils de muezzin, parvient au terme de son hégire[2]. Il bute sur trois corps mal enterrés, trois morts qui ne comptent pas vraiment et tout autour la cohorte pleureuse des phrères[3] qui triturent ce qui leur reste de cervelle pour déterrer cette vérité d'évidence qu'ils se jettent à la face : « Ce qui a été fait a été bien fait. » Et pour conclure — mauvais présage —, j'en suis venu à bégayer de plus belle et pire qu'AVANT. Je ne suis pas libéré. Qui a menti ? Là n'est pas la question. Quand ai-je commencé à être vulnérable et accessible au mensonge ? Quand ai-je commencé à me mentir à moi-même ? Si je continue à raisonner alors de deux choses l'une : ou bien je m'égare car nous sommes réellement arrivés — il reste à féliciter les survivants — ou bien c'est une fausse porte qui nous est ouverte sur le vide par ceux qui étaient pressés de s'asseoir. Alors il faut continuer, contre eux. (pp. 83-84.)

1. Rivière traversant Constantine.
2. Commencement, avec la fuite de Mahomet à Médine, du calendrier musulman. Par extension, ici, l'ensemble de ce calendrier ramené ironiquement à la « dynastie » des Ramiz.
3. Déformation ironique de « frères » qui dans le vocabulaire du Parti désigne les militants.

TAHAR OUETTAR

L'As (1974, et 1983 pour la traduction)

> *L'As* est essentiellement l'histoire d'un responsable de secteur du maquis, militant communiste, et de son fils illégitime surnommé l'As pour son apparente simplesse d'esprit. Après plusieurs actions réussies, Zaïdane et une partie de son groupe sont convoqués chez leur supérieur, appelé le Cheikh pour ses positions islamistes. Les Européens jugés en même temps que Zaïdane sont d'autres militants communistes venus aider la Révolution algérienne. Ils seront finalement tous exécutés devant l'As.

Le Cheikh baissa la tête pendant quelques instants, puis dit en français d'une voix très basse :

« La décision a été prise en ce qui vous concerne : pour Zaïdane, il lui faut renier son idéologie, se retirer du parti et annoncer son adhésion au front... En ce qui vous concerne également, il vous faut renier vos convictions idéologiques et embrasser l'Islam. »

Les brèves paroles du Cheikh eurent un effet de foudre sur les Européens. Quant à Zaïdane, un sourire sur ses lèvres fines, les sourcils froncés, il fixait sévèrement les yeux du Cheikh qui ajouta :

« Vous avez le choix : me répondre tout de suite ou plus tard.

— C'est de la folie.

— Comment pensent-ils donc, ces gens-là ?

— Que veut dire alors votre lutte ? » dirent en même temps trois des Européens. Le quatrième préfère se taire, tandis que le capitaine espagnol jetait un regard furtif à Zaïdane comme pour le débarrasser de toute l'affaire. Zaïdane serra les poings et dit également en français :

« Et s'il n'y a pas de suite à ces exigences, y aurait-il une autre solution ?

— Ah ! oui : l'égorgement », répondit calmement le Cheikh.

L'Espagnol leva la tête :

« Et vous nous croirez facilement si nous vous faisons savoir que nous nous rendons à vos désirs ?

— Vous rédigerez une déclaration dans laquelle vous condamnerez les positions de vos partis. Nous nous chargerons de la communiquer à la presse internationale. Oui, nous vous croirons facilement, pourquoi pas ? » (pp. 172-173.)

(Traduction Bouzid Kouza, avec la collaboration de Idris Boukhari et Jamel Eddine Bencheikh.)

2

Ville, mémoire et identité dans les romans des années 70

Si la mémoire est parfois subversive, c'est que le récit d'un passé fondateur de la nation est une sorte de garant sacré de légitimité de la Cité nouvelle. On retient ici le terme de Cité plutôt que celui d'État, car il ne s'agit pas seulement d'une structure politique, mais de tout un espace public nouveau, où il faut redéfinir l'identité collective. Or cette Cité se confond bien souvent dans les faits avec la ville. Et si cette modernité est communément associée au progrès, elle peut également être synonyme de perte d'identité : la ville nouvelle fraîchement conquise n'était-elle pas celle du colon ? Les langages d'efficacité technologique ou idéologique qu'elle suppose ne sont-ils pas eux aussi trahison, cependant que des mots d'ordre de retour à un Islam non rénové risquent d'entraîner la stagnation ?

On touche là les principales questions que se posent la plupart des écrivains de cette génération qu'on pourrait appeler celle des années 70, même si ses premiers textes importants, *La Danse du roi* de Mohammed Dib et *Le Muezzin* de Mourad Bourboune datent de 1968, et *Le Polygone étoilé* de Kateb Yacine de 1966. Or, cette date de 1968 elle-même n'est pas innocente. La dynamique du renouveau de la littérature algérienne auquel nous assistons autour de 1970 tire bien sa vigueur d'une contestation propre à l'époque, de la même façon que les premiers romans algériens de langue française se développaient en partie en contrepoint à la présence coloniale. Ensuite seulement les écrivains pourront se consacrer, vers les années 80, à d'autres perspectives. Qu'on soit d'accord ou non avec le contenu politique de ces textes n'est pas la vraie question : la vraie question est que sans cette dynamique contestataire la littérature algérienne n'aurait probablement pas connu ce renouveau.

MOHAMMED DIB

Les trois romans que Mohammed Dib a publiés à cette période de son œuvre importante s'interrogent tous trois sur l'authenticité des langages de l'Algérie nouvelle. Dès 1968, *La Danse du roi*, composé à partir de l'alternance des récits hallucinés de deux rescapés du maquis, montre comment l'un et l'autre ne sont plus à leur place dans l'Algérie qu'ils ont fait naître. Dans *Dieu en Barbarie* (1970) Kamal Waëd, représentant sincère d'un pouvoir qui se veut progressiste, cherche cependant désespérément une identité dont il sait d'avance qu'elle est faussée. Dans *Le Maître de chasse* (1973) le même personnage démasquera malgré lui sa contradiction en envoyant l'armée mettre fin à un dialogue qui pourtant s'ébauchait à peine, entre des intellectuels en quête d'authenticité et des paysans qui savent, quant à eux, qu'il n'y a pas de réponse. C'est pourquoi il serait erroné de ne lire ces trois romans qu'à travers un questionnement politique. La vraie question, surtout dans le premier et le troisième, est celle de la nécessité, tant de l'action que du langage. Car Rodwan dans *La Danse du roi* a vu en face l'Ange de la Mort, et la réponse que cherchent les « Mendiants de Dieu » dans *Le Maître de chasse* « se réduit au mot : Rien ».

La Danse du roi (1968)

Arfia et Rodwan, qui ont tenté en vain, en des récits alternés, de se raconter leurs souvenirs hallucinés se retrouvent marginalisés par leur mémoire dans une ville qu'ils ont libérée en combattant. Leur errance nocturne les mène à assister à une curieuse représentation que donne, tout en se laissant dépouiller par des malfaiteurs ironiques, un personnage qui se dit « érudit » convié à la fête du riche, mais arrivé trop tard. Le majestueux portail couvert de moisissures devant lequel l'érudit Wassem fait sa pantomime et se laisse dépouiller s'ouvre sur le vide. Mais autant que du pays, on peut voir dans cette « Danse du roi » qui donne son titre au roman une représentation de l'intellectuel face, non seulement au pouvoir mais, pourquoi pas, au réel ?

Wassem qui, dès les premiers pas, avait fait une chute dans la décharge, se remit debout, coiffé d'une boîte de conserve vide, et commença imperturbablement à se passer des pneus de vélo usés autour du cou, à se draper de vieux journaux. Ce fut accoutré ainsi qu'il se retourna avec lenteur et majesté vers la femme et les quatre hommes.

Le plus endurci des malfaiteurs jeta d'un ton sans réplique :

« Chut ! Il veut dire quelque chose.

— Je le vois qui remue les lèvres mais je n'entends rien », fit remarquer son compagnon dans un grondement caverneux.

Un « pèlerin » claquait des dents. L'autre convenait :

« Je le vois aussi qui remue les lèvres mais... je n'entends rien... non plus. »

Le bandit qui avait parlé en chef murmura alors comme pour lui seul :

« Tout ça ne me plaît pas. »

A ce moment, la voix de Wassem devint audible.

« Buvez, je l'ordonne ! dit-il, et il tendit le bras comme s'il offrait un verre, bien qu'il n'eût rien dans la main. A partir de ce jour, vous cessez d'être des bouffons voués à l'amusement du roi. Entrez et venez recevoir... »

Soit qu'il eût voulu montrer la boîte de conserve qui le couronnait, soit qu'il eût besoin de l'assurer sur sa tête, il allait y porter l'autre main lorsqu'il perdit son équilibre, déjà menacé, et s'écroula de nouveau, non sans avoir eu tout de même le temps de lancer dans un grand cri :

« Le roi !

— Il s'est encore étalé », dit le plus impassible des deux coquins.

Il tenait son regard perçant fixé sur Wassem, dont pas un membre ne remuait. Il fronça légèrement les sourcils. D'un pas vif, il franchit tout d'un coup le portail, large ouvert, et se dirigea vers lui. Il se pencha.

« Mort... constata-t-il. Hé, la mère ! Viens lui fermer les yeux. »

Clopinant, la vieille y alla, tandis que l'homme s'en retournait auprès des autres.

Arrivée devant le corps de Wassem, Arfia grogna :

« Sur un tas d'immondices ! »

Soudain, mais il ne sut pourquoi, Rodwan eut l'impression que c'était lui qui gisait là devant et non pas un... dénommé Wassem, lui qui, dans une espèce de dédoublement allègre, s'était livré à une pareille farce, et que du début à la fin cette histoire était, d'une façon échappant à toute explication, la sienne, sans conteste. Il s'effondra.

Le bandit en chef appela son acolyte :

« Décampons d'ici. Ça commence à sentir mauvais ! » (pp. 150-152.)

Dieu en Barbarie (1970)

Comme Arfia dans *La Danse du roi*, Labâne est un rescapé du maquis, d'origine campagnarde, qui n'est pas à sa place dans la ville, dont il souligne de ce fait le simulacre.

Labâne ne sait plus s'il veille ou s'il dort. Le regard tendu, il s'enfonce dans les rues de la ville qui sont plus lumineuses qu'elles ne l'ont jamais été à sa connaissance. Progressant à travers cette cité éblouie, où le poursuit la troublante sensation qu'elle a supplanté après l'avoir absorbée, l'autre, la cité réelle, reconstituée dans ses moindres détails, il se montre circonspect. Tout ici n'est que simulacre. Ces passants ne sont que des morts doués d'une étrange résistance. Pour continuer à fouler la terre avec cet entêtement, c'est sûr.

La crainte de se heurter à l'une de ces apparences s'insinue en lui. Il se représente vaguement la catastrophe qui s'ensuivrait.

Comme si cette douceur ne suffisait pas, elle s'aggrave de la beauté surnaturelle que prodiguent subitement le ciel, le soleil, les jardins, l'air. *Il faudra un sang vivace et riche, beaucoup de sang, pour que fonde cette transparence.*

Il croit entrevoir l'ombre armée se ruer vers lui. La lucidité lui revient. (pp. 97-98.)

Jeune technocrate croyant au progrès, Kamal a fui précipitamment ce dîner où Hakim Madjar lui prédisait qu'un jour les villes les plus prestigieuses seraient submergées et vaincues par le flot des fellahs du monde entier, qui réaliseraient ainsi par leur seul nombre la fin de notre civilisation.

Comme quand on ne sait où aller, il marchait d'un pas lent, en remplissant ses poumons de la fraîcheur nocturne. Il commençait à se sentir honteux d'avoir ainsi pris la fuite. Pourquoi cette panique, tout à l'heure ? Il ne comprenait plus ce qui s'était produit. Quelqu'un comme Madjar ne pouvait l'intimider, ni ses discours l'ébranler. Pourtant il s'était laissé intimider et ébranler et jamais il n'avait eu la sensation que sa volonté lui avait été à ce point inutile.

Nous camperons sur la place de la Concorde, dans Hyde Park... Kamal Waëd se rappela alors une fille de fellah qu'il avait vue traverser un jour, sur son bourricot, le champ de ruines d'une cité romaine. Avec quelle indifférence elle foulait les dalles indestructibles ! Comme, en l'ignorant, elle passait devant le superbe arc de triomphe ! Elle n'avait d'autre préoccupation, qui n'était pas même conscience, que d'aller son chemin le plus droit possible. C'était bien ça ! Avec elle s'accomplissait déjà la prophétie de Madjar. Les pierres solennelles entassées à cet endroit empreint de la gravité des lieux sacrés ne lui arrachaient pas un regard. C'était la plus commune fille sans doute du fellah le plus vulgaire et le plus misérable ; elle ne daignait pourtant pas toucher de ses pieds le glorieux pavé, le réservant uniquement aux sabots de son âne. Le cœur de Kamal se remit à battre plus vite comme s'il menaçait encore de céder aux insinuations des fantasmagories madjariennes. Mais le bon sens en lui se rebiffa et il repoussa la spécieuse, la fascinante image. Le jeune homme sourit aux ténèbres qui lui restituaient sa lucidité. (pp. 215-216.)

Le Maître de chasse (1973)

Chef de cabinet du préfet, Kamal Waëd est face à ce dernier pour lui demander de signer une décision mettant fin à l'expérience de rencontre avec les fellahs des « Mendiants de Dieu » groupés derrière Hakim Madjar. C'est Kamal qui « dit » : chaque chapitre du roman est ainsi « dit » explicitement par l'un des personnages, désigné comme locuteur, ce qui introduit nécessairement un recul critique du lecteur, qui percevra à la fois l'explicite et l'implicite de narrations ainsi mises à distance.

L'incendie de ses steppes l'été, leur violente lumière gelée l'hiver, l'impitoyable immensité. Il en a plein sa personne. Et de cette même espèce d'absence, de cette même espèce de vide, de cette même façon d'être toujours loin, toujours à mille lieues de là.

Sa voix épuisée dans un râle, son regard continue néanmoins à brûler comme certaines étoiles certaines nuits, d'un éclat funèbre.

C'est un homme sorti du maquis. Il se croit peut-être encore là-bas. Toujours en train de faire le coup de feu, comme si rien n'avait changé, et nous en sommes à notre troisième année d'indépendance. Comme si le pays n'était pas devenu autre en ces trois années, que sa vérité ne soit pas devenue une vérité d'hier, et qu'à chaque temps sa vérité. Il n'a même pas l'air de le soupçonner, et qu'il n'est plus, lui, qu'un survivant qui prolonge indûment son existence.

S'en accommoder, c'est tout ce qu'il y a à faire, en attendant ; la chandelle tire sur sa fin.

Je ne me suis pas privé de le lui dire le jour même où j'ai pris mon poste. Parce que je savais d'où il sortait, et qu'il gardait encore sur ses souliers vernis la poussière de sa campagne et, sur lui, l'odeur de cette terre où il aurait dû rester.

« Prenez garde que le fellah ne submerge tout, ne détruise le peu de choses valables que nous ayons sauvées. Il s'est réveillé, si on peut dire. Il arrive. Il envahit tout. Il marchera, sans même le savoir, sur tout ce qui vaut quelque chose, il l'effacera sous ses semelles. »

Et lui :

« C'est la pâte originelle de ce pays.

— Oh, si vous le prenez ainsi ! Il n'en est pas moins

prêt à le rendre aussi à sa barbarie originelle. C'est l'homme d'avant et d'après le déluge. »

Je le lui ai dit parce que je le pense. Parce que s'il était sorti de sa steppe, il ne fallait pas qu'il essaie de nous en faire accroire.

« Un ravageur de civilisation, de valeurs morales », ai-je dit.

Il fallait qu'il sache à quoi s'en tenir.

Pourquoi me serais-je fait scrupule d'exprimer ce que je pense ? Pourquoi me serais-je gêné ? Si quelqu'un devait se sentir gêné, tant pis pour lui.

« C'est l'homme qui apparaît avant et après le déluge. »

Il a levé cette main décharnée à la blancheur d'os. C'est bien. Moi aussi, je lève la séance. Je ramasse mes papiers et je décampe sans attendre d'y être invité. (pp. 12-13.)

MOURAD BOURBOUNE

Le Muezzin (1968)

Si chez Dib la ville est simulacre, trahison de l'être ou du sens, elle est plus précisément, chez Bourboune, le symbole d'une Révolution trahie : n'avait-on pas promis de la raser à l'arrivée ? Dès lors la Révolution, pour Saïd Ramiz, muezzin bègue et athée, n'est jamais terminée. Pourtant son combat contre la ville ne peut qu'être solitaire, et la marginalité du militant déçu rejoint ainsi celle de l'écriture-délire, de l'« encre épileptique » qui donne à ce livre une réelle grandeur.

Une saison sismique, végétale, fendrait la terre d'une échancrure solaire, les ouadi[1] n'auraient plus soif et les quatre points cardinaux seraient déboulonnés. L'Anti-Atlas écœuré mettrait bas son fardeau et dirait : « J'en ai marre du S.M.I.G. et de la coopération, marre d'attendre en vain la grande brisure de l'axe, votre faillite, vos trouilles et vos courbettes sont venues à bout de ma patience païenne. » Reptation des dunes vers la mer, surgissement des arêtes sableuses entre les doigts des morts, le béton qui croule et la tribu qui accourt, sonnant l'hallali pour mettre un terme à vos grouillements de reptiles. Vous crèverez. La ville aussi crèvera et alors viendra le grand Livre des Douleurs qui s'écrira tout seul d'une encre épileptique.

Accepter, attendre, pas partir, pas subir, je ne subirai que l'Apocalypse et les vérités élémentaires.

Le cimetière d'El Alia crépitera sous la liquéfaction gréseuse[2] de vos corps, il y poussera une nouvelle avenue, digérant vos vomis solidifiés, brisant les impasses et autour, la vraie ville, la ville vénéneuse, poussera en champignon jusqu'à l'heure où la mer viendra tout laver.

....

Marre des fantasias, du rahat-loukoum, du mouton de l'Aïd, du rodéo berbère, du couscous-méchoui, de l'Assemblée des Sages du village où des sociologues profonds et de passage découvrent leur nombre d'or, marre des vierges voilées et de l'amputation des prépuces. Qu'on leur donne une tête, deux bras, deux jambes, un truc, et qu'ils cessent de passer par toutes les couleurs de l'état civil spécifique. Qu'ils s'inventent, hommes-iguanes, hommes-zèbres, hommes-ergs, hommes-tiers et, s'il le faut, hommes-hommes, pas hommes-caméléons, pas hommes qui ne changent que pour mieux ressembler à eux-mêmes.

1. Pluriel de *oued* : rivière, torrent.
2. Qui a l'aspect du grès, de la pierre liquéfiée.

— Ici, commence le combat contre la Ville : la Ville, ses avenues, ses marchés, ses bétons, ses murs métallisés, vitrifiés, opaques, ses cafés-cratères d'où l'on sort éjecté, soûl, ses minarets, ses veuves, ses colonels, ses meddahs[1], ses tahars, ses Rachid, ses Ramiz, ses ulémas, ses RE-pulsions-volutions[2], ses sidis, ses messieurs, ses brocantes et ses putes, ses séditions-soumissions, ses dissidences, ses préfets, ses suffètes[3], ses consuls, le tout à tendre à bout de bras dans un sac, dire : « Voici la Ville. » Et courir la noyer comme une portée de chats dans l'oued en novembre.

Ses granits, ses stucs, ses pierres, ses pavots en serres. La Ville de tout sauf de délire — l'abattre.

Je lui inventerai un délire, je l'organiserai pour que la Ville future qui jaillira à sa place apporte les démangeaisons pubères de la liberté à venir. (pp. 76-79.)

RACHID BOUDJEDRA

La Répudiation (1969)

Un an après *Le Muezzin*, et quinze ans après *Le Passé simple* de Chraïbi au Maroc, *La Répudiation* de Rachid Boudjedra s'en prend, dans un verbe dru et provocant, au pouvoir patriarcal d'avant et d'après l'Indépendance,

1. Conteurs. Le personnage du Meddah intervient dans le roman comme une sorte de double et d'interlocuteur privilégié de Saïd Ramiz, le Muezzin.
2. Jeu de mots à partir de l'abus du terme de Révolution par le pouvoir algérien.
3. Les deux premiers magistrats de Carthage.

dont il montre à la fois l'hypocrisie et le saccage de la Révolution. Provocation supplémentaire : le récit est fait à l'amante étrangère du narrateur, Céline ; et les aléas de sa progression vont de pair avec ceux de la relation sexuelle des deux interlocuteurs. Ici il est question de l'enfance de Rachid. La description au présent itératif souligne bien la fixité d'une société.

Mon père est un gros commerçant. Il dort dans son alacrité rassurante. Ma mère est une femme répudiée. Elle obtient l'orgasme solitairement, avec sa main ou bien avec l'aide de Nana. Dans notre ville les marabouts se multiplient. Les rapports qui régissent notre société sont féodaux ; les femmes n'ont qu'un seul droit : posséder et entretenir un organe sexuel. Je suis un enfant précoce ; c'est une danseuse, amante de Si Zoubir, qui me l'a dit. Je n'ai pas très bien compris ; pourtant je n'avais rien fait de mal ; je l'ai seulement regardée se déshabiller en pensant qu'elle était moins belle que Zoubida. Elle m'a laissé faire et elle a ajouté : « Tu as de qui tenir ! » Là non plus je n'ai pas compris à quoi elle faisait allusion. Zahir et moi, nous fréquentons le lycée et, à ce titre, sommes la fierté de la famille ; cependant nos oncles nous haïssent justement pour cette promotion, gage de rupture définitive d'avec la paysannerie riche et semi-féodale. Ma belle-mère est très belle mais je fais courir le bruit qu'elle est très laide, cela aide ma mère à vivre. Tous les matins, à quatre heures, je vais à l'école coranique apprendre ma « sourate » quotidienne.

....

Dans l'école, le souci commun consiste à somnoler ; c'est tout un art de somnoler ! Il s'agit de ne jamais fermer la bouche, de se balancer comme un cercopithèque[1]. Dès que l'on s'arrête de brailler, la longue

1. Singe à longue queue.

baguette à tête chercheuse du maître entre en action. C'est un jeu de massacre où l'on gigue et gigote beaucoup : on ne badine pas avec la religion ! En hiver, j'aime beaucoup somnoler et le maître n'y peut rien car je lui fais du chantage : l'année dernière il m'a fait des propositions malhonnêtes et je les ai acceptées afin qu'il me laisse en paix et me donne le loisir de rêver du corps somptueux de ma marâtre. Tout le monde accepte les propositions du maître coranique ! Il nous caresse furtivement les cuisses et quelque chose de dur nous brûle le coccyx. C'est tout ! Je sais que ce n'est pas grave. Mon frère aîné veille au grain. Les parents, généralement au courant de telles pratiques, ferment les yeux pour ne pas mettre en accusation un homme qui porte en son sein la parole de Dieu ; superstitieux, ils préfèrent ne pas être en butte aux sortilèges du maître. Ma sœur dit que c'est là une séquelle de l'âge d'or arabe. Plus tard, j'ai compris que c'est la pauvreté qui incite le « taleb[1] » à l'homosexualité, car dans notre ville il faut avoir beaucoup d'argent pour se marier. Les femmes se vendent sur la place publique, enchaînées aux vaches, et les bordels sont inaccessibles aux petites bourses ! (pp. 105-107.)

> C'est la fin du roman. Le récit à Céline a permis une guérison : celle de faire retrouver peu à peu à Rachid la mémoire des exactions du Clan, comme de la mort du Devin, à qui la plupart des villes de l'Algérie indépendante ont consacré le nom d'une rue, mais qui n'a pas été tué par l'armée française. Dès lors de l'enfermement à l'hôpital on passe directement à celui de la prison politique, cependant que Céline, ayant rempli son rôle, est devenue inutile. Mais cette situation ne durera pas toujours...

En fait, l'échec du Clan était évident mais on nous reprochait d'avoir mis l'accent sur cette réalité qu'il aurait fallu camoufler, sinon taire. Cependant, la rumeur

1. Maître coranique.

continuait à s'amplifier dans les campagnes de plus en plus misérables et affamées et dans les villes qui se mettaient à s'organiser à leur tour, après la faillite des chefs dispersés entre leurs intérêts financiers et particuliers et une certaine nostalgie réformiste dont ils ne savaient plus comment se débarrasser. Le va-et-vient entre l'hôpital et le bagne allait-il continuer longtemps ? Je n'en savais rien, maintenant que Céline avait fini par se défaire de ses scrupules à mon égard et par rentrer en France, me laissant dans un désarroi inouï. Depuis cette rupture avec l'amante, il m'arrivait de plus en plus de soliloquer tout haut dans ma cellule, provoquant ainsi, sans le vouloir, des cauchemars dans le sommeil de mes gardiens. Ce fut en prison que j'appris la mort de ma mère que je n'avais plus revue depuis mon arrestation, et qui avait traîné une longue maladie chez l'un de ses oncles. C'est là aussi que je fus mis au courant du troisième mariage de mon père, par Zoubida qui me suppliait de ne plus faire de politique (faisait-elle partie du complot, elle aussi ?).

Il fait nuit noire dans mon cachot, mais les bijoutiers prolifèrent dans la ville et s'organisent en milices pour la défense des vitrines, menacées par la constante hargne du peuple des chômeurs (200 000 de plus chaque année, selon les propres statistiques du Clan !) à l'affût de la moindre inadvertance, non pour voler mais pour tout saccager. Nuit noire, dans mon cachot. Demain, le chant des prisonniers (dont le poète Omar) me parviendra de la cour de la prison, à l'heure de la promenade. Moi, je suis toujours au secret (cela dure depuis des années...). Paix sur moi, puisque le soir vient, et silence autour de ma berlue interminable ; mes compagnons, dans les autres cachots, dans les autres cellules, savent que je ne suis pas voué éternellement au délire. Il faut donc tenir encore quelque temps... (pp. 292-293 fin.)

Si la ville des technocrates est souvent celle de la perte d'identité, il est aussi des villes comme Constantine et Tlemcen que l'on considère toujours comme des symboles de l'identité arabo-islamique. Constantine surtout tient dans la littérature algérienne une place privilégiée, ne serait-ce que parce qu'un grand nombre d'écrivains y sont nés ou y ont fait une partie de leurs études. De plus, son site particulier la prédisposait en quelque sorte à devenir symbole d'une Histoire millénaire, celle-là même que Rachid y retrouvait dans *Nedjma* de Kateb Yacine.

Pourtant cette ville-emblème semble soudain trahir elle aussi. Est-ce parce que l'islamisme pesant de la société patriarcale qu'elle symbolise est de plus en plus dénoncé par les écrivains, tant de langue française que de langue arabe ? Est-ce parce que l'identité arabo-andalouse et citadine qu'elle représente, même si elle repose sur une longue tradition, est ressentie comme répressive des autres expressions possibles, dès lors que l'État nouveau s'appuie sur elle ?

RACHID BOUDJEDRA

L'Insolation (1972)

Le narrateur a pu quitter l'hôpital psychiatrique pour une folle équipée à Constantine, à la recherche de l'amante inaccessible, laquelle rappelle par tout un ensemble d'indices la Nedjma de Kateb Yacine. D'ailleurs tout le chapitre peut ainsi se lire comme un jeu burlesque avec ces renvois à l'œuvre de Kateb Yacine, entre autres. Et si le jeu intertextuel est la dimension essentielle du plaisir que ce texte procure, il ne manque pas parfois de férocité, par exemple dans le commentaire de la référence au surveillant général corse. De même le « coup de lune sur la tête » peut être lu comme une parodie du *Polygone étoilé,* où dans le ghetto de Constantine on entend la mère d'Esther l'interpeller : « Descends du soleil ! Tu vas attraper un coup de terrasse sur la tête. » (p. 71.)

Les rues avaient changé de noms, mais cela ne me gênait pas du tout, je n'ai jamais retenu le nom des rues. Je me suis toujours orienté par rapport aux maisons, aux magasins et aux squares. Non, cela ne me gênait pas du tout, et j'exultais même secrètement, à voir de nouvelles plaques avec des noms nouveaux. Il y avait même une rue qui portait le nom du Devin né dans la ville et mort maintenant, enterré à la lisière d'un bois, à proximité de la mer, sans suaire avec juste sur le corps sa chemise mauve et un vieux blue-jean râpé... (Mais, dirait mon ami parti boire, c'est une autre histoire et tu nous casses les pieds avec ces digressions qui n'ont ni queue ni tête !) Toujours est-il qu'il m'était difficile de retrouver mon adolescence. Rien ! Ni images, ni odeurs, ni lieux, ni silhouettes ! La quête stérile de mes fantômes s'avérait douloureuse et je ne cessais de maugréer contre cette pauvreté soudaine de ma mémoire qui m'avait habitué à mieux et dont je me méfiais en règle générale, tant elle était apte à exagérer les phénomènes du passé, à les gonfler et à les rendre méconnaissables... Mais, là, aucune possibilité réelle de me rappeler les souvenirs que j'avais pourtant bien vécus dans la cité accrochée sur son piton et guettant la plaine alentour qui s'en allait jusqu'à Sétif. Mon compagnon revenu sain et sauf, après une cuite extraordinaire, disait que j'avais reçu un coup de lune sur la tête, à cause de mon amour pour Samia. Il s'escrimait à me faire redécouvrir mon passé et allait jusqu'à évoquer des péripéties que nous avions vécues en commun et à me présenter des personnes qu'il prétendait être d'anciens camarades du temps de l'époque héroïque, celle du surveillant général corse (il l'appelait « Midi et quart » alors que son vrai surnom était « Midi moins le quart ». Il avait vieilli, mon compagnon, et n'était plus à l'heure...) dont je ne me souvenais plus. D'ailleurs, mes anciennes connaissances ne m'aidaient pas dans ma tâche et s'étaient affublées de lunettes cerclées d'or, de moustaches tombantes, de bedaines molles, de postes de responsabilité, de femmes, de ribambelles de gosses et d'autres choses encore... Comment, alors, retrouver parmi ces nantis, les gamins d'antan, turbulents inégalables et agitateurs notoires ? Eux non plus ne me reconnaissaient pas. J'aurais donc changé, moi aussi ! Je ne m'en étais pas aperçu. Seul, mon compagnon de la Medersa, l'ex-muezzin, m'avait reconnu sur-le-champ, alors que les autres avaient feint de m'ignorer. Je n'avais pas non plus identifié ceux qu'il me présentait au fur et à mesure des rencontres. Alors que dire de la ville ? Chamboulée qu'elle était de fond en comble, avec de nouveaux noms de rues, de nouveaux squares, de nouveaux pigeons, de nouvelles mosquées et de nouveaux habitants qui avaient déferlé des montagnes dans un exode douloureux et vindicatif qui avait effrayé les bourgeois repliés dans les faubourgs résidentiels anciennement occupés par les Européens. (pp. 159-160.)

KATEB YACINE

Le Polygone étoilé (1966)

> Revenons donc au modèle, qui déjà jouait (plus finement ?) avec des textes préexistants. L'équipée à Constantine, chez Kateb comme chez Boudjedra qui le reprend, se termine nécessairement au bordel. La ville de Constantine tout entière, à la mémoire galvaudée, n'est-elle pas cette prostituée magnifique, mère et ogresse cosmique, Moutt, qui tous nous désarticule ?

Elle avait un château suspendu à un câble élevant ses amants à de telles hauteurs qu'ils croyaient vivre parmi les aigles.

Dès qu'ils se relevaient, sous la langue en chiendent d'une mule en habit d'infirmière, ils voyaient apparaître, au fond d'un jardin dévasté par la flamme verte, la féminine armée de Moutt, aux grands yeux prometteurs.

De tous les invités qui fixaient ce tableau d'un regard avide, un seul baissait la tête. Il ne voulait rien voir. Était-il donc muni d'un charme ? Avait-il traversé une épreuve pareille ? Ou bien n'était-il plus qu'un amoureux transi, après avoir été induit en espérance ? Qu'imaginer encore du jeune homme ? Tombé du câble initiatique, dégringolé de sa potence à la tranquille caresse d'enfer, ce fut lui qu'on hissa au bout d'un second câble, jusqu'à l'échelle de soie rompue par l'araignée, puis par la pieuvre qui entraîna notre héros dans ses bras roses, l'obligeant à monter vers la couche de Moutt, suaire où l'attendait la fleur vivante, carnassière, qui se jeta sur lui et se mit à le mordre, pour être sûre qu'il survivait dans sa stupeur.

Oui, sans une écorchure, elles vous désarticulent.

Ce manque de souffrance révolte beaucoup d'amants.

Les moins expéditives connaissent l'art des gifles. Elles vous retiennent tendrement sous la dent, comme font les chats, pour vous sentir en vie, volage et repentant. Il ne manque pas non plus d'ogresses distraites qui vous dévorent à satiété, tout en pensant à d'autres proies.

Mais tout n'est pas fini au fond de ce sac noir.

Il faut encore chanter. Il faut faire le récit épique du bonheur conquérant d'être déchiqueté.

Un long rêve et un coq rôti, ainsi étais-je inscrit sur les tablettes de l'ogresse.

Plus d'ergot, plus de crête, et plus la moindre plume.

N'importe, voici le luth, l'ogresse, d'un coup de pied, vous l'envoie dans le creux du ventre. Allons, réveillez-vous !

Quand le coq enroué n'agite plus ses ailes, et qu'il soulève l'indignation des poules crépusculaires, il souffre le martyre du torticolis.

N'importe, l'ogresse attend, il faut faire naître un chant d'éternelle jouvence aux lèvres de l'insatiable, attraper ses morpions, se glisser dans son antre, faire provision pour elle de tous les volatiles qui l'ont vue plus d'une fois se soulager dans l'herbe et se cambrer longtemps, sa face entre ses jambes, l'œil fixé à l'anus et nez à nez avec son sexe, livrant à la cohue vorace des becs tendus l'interminable ver des soliloques de midi, un lézard adoptif courant sur sa poitrine. C'est pourtant vrai ! L'ogresse est intriguée par le ver solitaire qui sort parfois sa tête et se balance éperdument du corps de sa maîtresse, comme s'il allait vomir sa maléfique substance et attirer sur lui, méchant ténia de race borgne, la frénétique volaille qui perce à coups de bec le secret de ce cul fermé à double tour. Pauvres oiseaux. Ils ne sont pas les seuls à courir derrière elle, l'humanité entière arrive au rendez-vous.

D'abord les gosses, chacun son tour, ou alors sortez tous !

Elle a remis son pensionnaire aveuglé par le sang

dans la voie du retour à l'intestin natal. Il était temps. L'infortuné reptile avait déjà perdu la tête. Encore un peu, et il était libre. Ce n'est pas aujourd'hui que le ver solitaire aura une femme et des enfants.

Aucun repos, même à l'état d'excrément. Vous êtes alors porté au jardin de l'ogresse, fumant, comme il se doit, dans la nuée des mouches musiciennes religieuses, ignobles figurantes de ses grains de beauté. Toutes les larves sont remuées pour vous faire une place, de fossé en fossé, jusqu'aux caisses de bière que de pieux pédérastes sortent sur leurs épaules comme autant de cercueils, pour les vertes années de la putain nouvelle qui siffle dans les couloirs. Arrivé là, on vous étrangle. (pp. 72-74.)

NABILE FARÈS

Un passager de l'Occident (1971)

« Passagers de l'Occident », les personnages de Nabile Farès vivent dans « l'Exil et le Désarroi » de ceux pour qui « il n'y a plus aucun lieu en ce monde », parce que le lieu pour lequel on s'est battus s'est fissuré, a été confisqué par ceux qui proclament une identité arabo-islamique uniforme. *Un passager de l'Occident* est d'abord installation ludique dans la plupart des langages culturels de la modernité entre lesquels l'écriture du livre se développe dans une multiplication brillante des registres, de l'autobiographie à la parodie de tous les jargons à la mode. Mais ce jeu est aussi l'occasion de célébrer l'identité païenne réprimée de l'Algérie.

La vraie patrie de l'Algérie est son passé le plus ancien, et le passé le plus ancien de l'Algérie —

ESTHÉTIQUEMENT PARLANT — est le paganisme. Que l'expression révolutionnaire rencontre l'expression païenne et le moment de vie que traverse le pays se multipliera de ferveur politique. De cette manière, la pensée païenne vaincra la bureaucratie et la technocratie actuelles. De cette manière, la pensée païenne activera la critique révolutionnaire d'une idéologie essentiellement étatique. Ainsi apparaîtra, dans l'authenticité de son devenir, une histoire algérienne libérée de toutes les conquêtes qu'elle a connues.

En l'occurrence, le plus réconfortant est de savoir que cette authentique histoire de l'Algérie arrivera de plus en plus à jour. Car, lorsque seront passés les retours culturels d'une personnalité pourrie, dont on tente, vainement, de magnifier l'origine, viendra la clarté expressive d'une histoire totale algérienne.

Cette histoire totale de l'Algérie se différenciera de l'autre histoire (conquête-dépersonnalisation) par la manière dont elle ne sera pas une thérapeutique pour petits cerveaux, mais une dialectique sociale. L'histoire culturelle de l'Algérie actuelle est encore une histoire « cathartique ». La reconnaissance d'une dialectique interne à la société algérienne, comme telle, n'a pas encore eu lieu. La prétention qu'avait l'Algérie à se définir (et l'Algérien) par son autre (France et Français) est terminée. L'Algérie a à se reconnaître elle-même. Et pour cela, elle n'a pas à courir vers les pays dont elle fut, à un moment daté de son histoire, une colonie. Après la décolonisation française de l'Algérie viendra la décolonisation islamique de l'Algérie. Car, et quoi qu'en pensent et veuillent nous faire « penser » les frères mahométans, l'islamisation de l'Algérie n'est pas un phénomène divin mais, comme tout phénomène, historique. De là à attendre la précipitation islamique de l'Algérie, il n'y a qu'une croyance païenne qui puisse tenir le coup. Car, de même que la géographie révolutionnaire de l'Algérie explosa en son temps la courbure coloniale, de même l'affirmation d'une ancienne gloire de vivre explosera l'échine patriarcale de l'Algérie. Pensée d'un meurtre dont la nécessité désignera aux fils des points d'ascension. (pp. 74-75.)

Mémoire de l'Absent (1974)

Meilleur roman de Nabile Farès, *Mémoire de l'Absent* est tout entier construit sur un emboîtement de récits-blessures ouverts comme le livre les uns dans les autres. Le récit englobant tous les autres est celui de l'arrivée à Paris pendant la guerre de libération, alors que la mère pleure dans le taxi. Dans ce récit s'inscrit celui du sacrifice mythique de Kahena, l'ancienne reine berbère des Aurès, lui-même ouvert en deux par le récit de l'amour sur la plage près d'Alger avec Malika. Moment de joie intense, d'innocence première soudain brisé, de l'intérieur même de l'amante, par l'intolérable et méconnaissable condamnation « morale ».

Malika est tout autre chose qu'une pierre
Et pourtant
Dès son premier jour et jeu de langue
Ma peau s'est ouverte
en deux
comme un livre.

J'ai posé, appuyé, mes deux mains de chaque côté des pages, et j'ai senti quelque chose en moi ; quelque chose qui existait à partir de moi, dur, chaud, bien plus vivant que moi.

Oui : un long changement. Et puis.

Où se trouve le premier moment du jour.

Vous connaissez cette confusion du fil blanc et du fil noir dans votre vue et votre main. Mais, ce moment où votre corps s'ouvre, en deux, à l'autre corps ; où l'autre bouche alimente l'autre bouche ; où votre lèvre semble éclater comme un obus dans le ciel du monde ; oui : je demande : Où se trouve ce premier moment du jour, comme si, à chaque apparition nouvelle de la lumière, le monde se remémorait quelque sacrifice, celui qui fut décidé entre la mort et le désir ou, plus avidement, entre le corps et l'autre corps.

Oui : où se trouve ce premier moment qui emplit votre cou et gonfle vos bras et vos jambes, pour le grand sacrifice du mouton noir ; qui vous maintient aux plus lointaines sources de vous-même ; vous affranchit de la peur du monde ; et vous porte dans votre jeu de vivre.

Où se trouve ce premier moment du jour car, en même temps, Malika m'a demandé mon âge, et j'ai senti un drôle de bouleversement gagner la planète.

« Il faut continuer à aimer l'amour, sinon, ils nous vaincront. »

C'est ce qu'elle dit ou ce qu'elle pense.

Je sens une goutte de sueur partir depuis les tempes, qui descend sur ma joue, tandis qu'une autre part de la nuque, tout droit, tombe le long de ma colonne vertébrale, vers les reins, et

Plusieurs cris. Oui, plusieurs cris qui forment en moi une sorte de panique, mais, Malika, là, qui rit alors que ses yeux sont maintenant méconnaissables au-dessus de mes yeux.

Plusieurs cris : il doit faire terriblement bon dans l'eau, maintenant, puisque la journée et le soleil descendent dans la mer et la font rougir de toutes parts.

Malika pense quelque chose tout bas, qui m'atteint violemment, comme un éclat de verre ou d'acier.

« Crois-tu que je sois une putain, parce que je suis là avec toi, dans les dunes ? »

Les yeux de Malika sont méconnaissables, seule, cette ride qui court le long du nez, que je sais être à elle depuis les paroles, les rires, et les lectures de journaux dans l'autobus.

C'est terrible de ne plus comprendre un visage : savoir s'il rit ou s'il meurt, et je ne sais quoi dire ou inventer autre chose que de la stupeur.

Malika continue de vivre dans sa question, là, près de moi, sous moi, et je ne sais que répondre. (pp. 124-126.)

L'Exil et le Désarroi (1976)

Dernier volet de la « Découverte du Nouveau Monde », *L'Exil et le Désarroi* est aussi le roman le plus désespéré de cette trilogie. Il conte le retour de Mokrane le militant au pays, où il ne trouve qu'un lieu vide et un langage usurpé. Où il ne pourra pas faire connaître la parole vraie du Carnet d'Ali-Saïd. Lieu éventré d'où il ne lui restera qu'à repartir, vers « l'exil et le désarroi » qui donne son titre au roman.

J'ai vu :
et, j'ai lentement traversé le dérisoire lieu du retour.
: traversé la cour
où nulle herbe ne pousse
où nulle parole ne parvient
où nulle offrande n'existe.
Ainsi : j'ai poussé la porte du lieu, et ma gorge s'est gonflée de colère, haine, désespoir.
J'ai poussé la porte du lieu, et, j'ai vu l'agneau mort. Celui dont j'aurais pu être le gardien coutumier pour notre bonheur. Innocence.
J'ai poussé la porte du lieu, et, quelque chose s'est brisé en moi. Comme une larme. Ou, un plaisir. Désanimé. J'ai poussé la porte du lieu, et, j'ai pu parvenir à l'intérieur de ma durée, car l'intérieur venait de se fissurer.
C'est alors que je me suis mis à frapper.
Oui : à frapper.
Le long cou de la terre. Et son insignifiance immédiate. J'ai frappé. Pour que la terre parle. Dise. Parle. Comme nous. A son tour. Du malheur. Du bonheur. De la vérité. De nos Ignorances.

J'ai frappé
: et le cou de la terre s'est tendu
violemment : comme un arc
: *il n'existe pas de plus grand malheur que celui qui est contenu dans les lèvres.*
l'homme qui ne peut parler
: ne peut être.
J'ai frappé :
l'homme qui ne peut parler
ne peut être.

J'ai alors jeté le voile de prudence.
J'ai dit :
Oui : je parlerai.
Je parlerai plus que tous les autres. Jusqu'à ce que la voix soit entendue dans l'innocence.
Je parlerai :
chacun
a le droit
de parler
sur sa
propre terre.
Voilà
ce que
je pense.

J'ai alors jeté le voile de prudence, là-bas, au loin, vers la grande ville, la capitale des décisions.
Alger, la bleue,
la verte, la Blanche
et, l'emmerdante.
Où les hommes ont décidé
de se taire.
ou : d'adresser
des louanges.

(pp. 37-38.)

MALEK ALLOULA

Villes et autres lieux (1979)

La conclusion de ce chapitre appartient au poète. L'écriture de Malek Alloula est en effet inscription spatiale comparable à celle des romans qu'on vient de parcourir. Et comme eux, elle dit l'héritage et la perte. Sa constante exigence la situe cependant dans un registre où, malgré le message évident, elle dépasse de loin les limites d'un militantisme du quotidien.

et maintenant
quel héritage de bois mort sous la canicule

les sarcasmes de l'hiver
à ce terme du lointain
gèlent toute descendance précise
quand des paternités
hésitent à s'affirmer

seules quelques veuves demeurèrent

ne pas franchir des limites belliqueuses
assurait un droit de passage
sur ces terres immobiles
qu'une vieille légende
dit avoir été nôtres (p. 80.)

3

De la rupture poétique à l'engagement socialiste

Produits, certes, par ce qu'on pourrait appeler une dynamique de la contestation, les romans des années 70 n'en situent pas moins leur écriture dans une problématique plus générale. Leur propos n'est pas de dire l'idéologie, mais au contraire de la mettre en question en tant que langage. Aussi ne peuvent-ils pas opposer à cette idéologie une autre idéologie : c'est bien le principe même d'un discours idéologique en tant que tel que ces écritures sapent, avant toute démonstration plus ponctuelle.

Inscrite dans le champ politique, la poésie algérienne de ces mêmes années va souvent plus directement au fait lui-même. Non pas toute la poésie : celle de Mohammed Dib, de Malek Alloula, de Jamel-Eddine Bencheikh se développe en des hauteurs d'écriture plus exigeantes. Pourtant, pour toute une génération de jeunes poètes éphémères, la poésie est d'abord l'espace d'un cri vital. Dire le mal de vivre au quotidien, sans grande recherche littéraire, car elle apparaîtrait à certains comme une trahison. Ces jeunes poètes souvent maladroits se comptent par centaines, la plupart non publiés, et se succèdent très rapidement les uns aux autres. Les années 70 en ont vu paraître plusieurs recueils collectifs, dont les plus connus sont celui de Jean Sénac qui s'arracha en quelques jours dans les librairies d'Alger en 1971, et celui que j'ai constitué moi-même en 1974-1975 pour la revue *Europe*.

Énonciateurs de l'urgence brute, ces jeunes poètes qui ont, par exemple, presque tous écrit un poème au moins sur la nuit de noces, en réfèrent cependant à de grands aînés. Jean Sénac, qui avant de les publier leur avait offert une bien fragile tribune avec son émission radiophonique « Poésie sur tous les fronts », au titre révélateur d'une époque. Et surtout Bachir Hadj-Ali. Tous deux sont symboles d'une poésie militante vécue quotidiennement dans leur chair.

BACHIR HADJ-ALI

Que la joie demeure (1970)

Les textes de *Que la joie demeure* ont été pour la plupart écrits lors du séjour du poète en résidence surveillée entre 1965 et 1971. On y retrouve cependant une musicalité et une émotion contenue à travers lesquelles la dénonciation porte sans doute plus encore qu'elle ne le ferait à travers l'imprécation.

Les Œillets rouges

Les œillets rouges de la mère
Les œillets cramoisis de l'hiver
On vécu ce qu'a duré la guerre
Rendez-les-moi rendez-les-moi
Ne les mettez pas en serre

Il était une fois
Sur des chemins inconnus

De jeunes paysannes
Elles pleuraient les morts
Tombés sous la mitraille
Le sang et les larmes
Ont donné des œillets

Il avait tant neigé
Sur les terres de la faim
Sur l'adolescence des fleurs
Qu'on avait craint le pire
La cavalerie avançait
Au rythme des temps futurs
Et le temps força l'allure
Et grandirent les œillets
Et rajeunit le temps
Et s'embrassèrent femmes
Enfants hommes

Rendez-moi rendez-moi
Les œillets rouges de l'enfance
Ô vous maîtres du silence
Silence aux torrents
Aux cascades aux chutes
Qui fertilisent éclairent
Une fois canalisés

Ô vous qui craignez la vérité
Maîtres du silence
Silence des fioles rangées
De l'opacité de la pesanteur
Des stèles funéraires

Rendez-moi rendez-moi
Les œillets de la guerre

J'ai mal à votre silence
Ô retardataires silencieux
Vos poumons sont malades

Par ma bouche c'est votre sang
Que je crache

(pp. 25-26.)

Cristal

Jeunes filles à marier
Diaprures naissances futures
Innocence de la soie
Vos chansons vos chances sont légères
Et les siècles pesants

(p. 61)

Quittance

Mon Algérie de l'errance
Mon pays de parfums blancs
Les femmes se taisent
La terre fuit clandestine
Le ciel est désespérance
Sur l'exil des hommes
Grande grande ouverte est la mer

(p. 73)

JEAN SÉNAC

Dérisions et Vertige (1983)

Entre *Matinale de mon peuple* (1961) ou *Citoyens de Beauté* (1967) et le recueil posthume *Dérisions et*

Vertige, écrit peu avant son tragique assassinat en 1973, l'évolution des titres indique la désillusion progressive du poète qui avait confondu sa vie tout entière avec l'espoir de son peuple comme avec son idéal de beauté. On a retenu ici un montage de textes par l'auteur lui-même, qui résume bien son itinéraire et annonce avec une lucidité tragique l'imminence de sa propre mort.

Racaille ardente
(Préface à vaincre II)

... pas un poème — le constat...

Description d'un cauchemar :

« J'ai vu ce pays se défaire
Avant même de s'être fait.
Lâcheté, paresse, délation,
Corruption, intrusion constante,
Dénigrement systématique, méchanceté, vulgarité
— Les pires pieds-noirs cent fois battus !
J'ai vu la joie, l'honneur, la beauté n'être plus
Qu'un masque délavé sur la plus lamentable racaille.
Avant même de prendre corps
Ici l'âme s'est écroulée.
Voyez ces morts-vivants à l'abjecte arrogance !
Pays de zombis, de fantômes,
Enfants aigris, caillés dès le lait maternel.
L'Algérie fut, sera peut-être...
Cet immense cloaque pavoisé c'est quoi ?

Et je t'avais chanté ô peuple !
Cafards, roquets, sous-hommes entre les mains de
[quelle maffia ?
Où sont les regards ? Où les couilles ?
Qui ose affronter un ragot ?
Veulerie, mensonge et la trouille
Géante au centre du drapeau.

Mécaniques cassées sans pièces de rechange,
Pets surgonflés d'europes asthmatiques et de
[marmaillantes zaouias,

Voyez-les parader comme des rots de rats
Parmi leurs détritus et leurs maigres vitrines.

Ça mon peuple, ah que non ! Ce vil tresseur de corde
Prêt à rependre Ben M'hidi ?
Cette crasse érigée en plastron de discorde,
Ce Judas sans parole qui cent fois se trahit ?

Je l'ai chanté pourtant, mais c'était d'autres hommes.
Des hommes simplement dressés comme un seul
[homme
Pour apporter le jour où serpentait la nuit.
Oh taisez-vous mon sang bientôt voici Novembre
Qui ne sera qu'un mois d'ordures et de pluies. »

Alger-Reclus, 26 septembre 1971.

Comment et pourquoi, en 1971, le poète qui avait écrit :

« J'ai vu le peuple le plus beau de la terre
Sourire au fruit et le fruit se donner[1] »

a-t-il pu se laisser aller à ce terrible « reportage » ? Jeunes gens de l'avenir, creusez, creusez...

Pour conjurer l'atroce vision, je ressors cette carte postale de l'Indépendance :

Soleil de novembre

Ce que j'ai vu en arrivant dans ma patrie ce sont les yeux.

1. « Citoyens de Beauté. »

La Révolution a donné un regard à ce peuple.
Beauté de nos gosses à l'orée du jour !
Quelle certitude et pour nous tous quel pacte !
Voilà un devoir tout tracé : le bonheur de l'Homme à restituer aux hommes. Le bonheur, c'est-à-dire : le pain, le toit, le travail, l'instruction.
Soleil d'une impitoyable franchise.
Soleil dans le regard de tous !
J'avais rêvé. Ce peuple est plus grand que mon rêve.
Les plus beaux livres de la Révolution sont les murs de ma ville.
« Nous ferons de l'Algérie le chantier de l'énergie populaire. »
Au-delà du cœur brisé.
Unis, nous construirons ensemble la Maison du Peuple Éveillé.

Alger, 10 novembre 1962.

Wilde, Lorca, et puis...

L'heure est venue pour vous de m'abattre, de tuer
En moi votre propre liberté, de nier
La fête qui vous obsède. Soleil frappé, des années saccagées
Remontera
Mon CORPS.

Alger, 15 octobre 1971,
pp. 108-111.

HAMID SKIF

Chanson pédagogique couscous

PIM PAM POUM
Aujourd'hui les noces.

PIM PAM POUM
Cadillacs,
Mercédès,
Villas.
Couscous au sang chaud.

PIM PAM POUM
Mes mains serrées jusqu'à n'en plus pouvoir
Mes lèvres dans la bouche
Mon sexe devant moi
J'attends ma sœur — ma sœur
Ma future femme.

PIM PAM POUM
Une voix dans le noir
La sœur qui supplie

PIM PAM POUM
Couscous au sperme chaud
PIM PAM POUM
Le Cadi qui essuie
PIM PAM POUM
Le VIOL est fini.

Extrait de Jean Sénac,
Anthologie de la nouvelle poésie algérienne,
1971, p. 109.

YOUCEF SEBTI

Futur

Bientôt, je ne sais quand au juste
un homme se présentera à votre porte
affamé hagard gémissant
ayant pour arme un cri de douleur
et un bâton volé.

tôt ou tard quelqu'un blessé
se traînera jusqu'à vous
vous touchera la main ou l'épaule
et exigera de vous le secours
et le gîte.

tôt ou tard, je te le répète
quelqu'un viendra de très loin
et réclamera sa part de bonheur
et vous accusera d'un malheur
dont vous êtes l'auteur.

toi
tes semblables
vous qui sabotez la réforme agraire !...

Extrait de Jean Sénac,
Anthologie de la nouvelle poésie algérienne,
1971, p. 42

KAMEL ABDOU

Écoute...

Écoute regarde c'est très simple
Ils ont violé le monde
Viens
Viens te dis-je
Regarde c'est très simple
Les ghettos les missiles les bus
C'est très simple
Les voitures les chaînes les obus
C'est très simple
Les blancs les noirs Pretoria
C'est très simple c'est très simple
Les montres les envoyés spéciaux et les discours
C'est très simple

Viens je ne peux plus ressusciter que dans tes yeux
Surtout ne me parle pas de soleil
je l'ai répudié
Surtout ne me parle pas de serments
je les ai éventrés
Surtout ne me parle pas en mots
Je les ai déchirés

Si tu veux te soûler d'Infini
Endosse ton linceul réglementaire
Et va au Sinaï
Et va à Santiago
Et va chez Renault
Sors des condoléances attristées
Des banquets et des récitals
Sors des réunions extraordinaires

Novembre 1973.
Europe, n° 567-568,
juillet-août 1976, pp. 155-156.

HABIB TENGOUR

Je note tout sur un bout de papier avant de faire le marché

A ma grande surprise les légumes sont à poils
la viande saigne
et les fruits trop gâtés tirent la langue

Et les garçons bouchers
c'est un métier ça
C'est un problème
On ne sera jamais socialiste tant qu'on laisse un seul garçon boucher faire le cœur tendre
derrière ses entrecôtes

Les carottes font la navette entre les poulets rôtis
et les canards sauvages

Qu'est-ce que je vais bien pouvoir manger ce soir

Europe, p. 148.

Dans une dynamique collective comparable et parallèle à celle de ces jeunes poètes qu'avait fait connaître Jean Sénac, Kateb Yacine revient à la même époque en Algérie pour monter en semi-improvisation collective, avec une troupe de jeunes comédiens, des pièces en arabe dialectal à l'engagement direct, tant sur le plan national que sur le plan international, les deux n'étant jamais vraiment séparés chez lui. Ce « théâtre-action » se fait souvent au prix de grandes difficultés, et marginalise une fois de plus l'auteur par rapport à une scène officielle où sa notoriété lui aurait facilement désigné une place, comme à d'autres. Son écriture d'efficacité immédiate est très différente de celle de *Nedjma*, du *Polygone étoilé* ou du *Cercle des représailles*. Mais la finalité est différente, et ces pièces ne sont pas publiées, sauf pour des extraits comme celui qu'on va lire.

KATEB YACINE

La Guerre de 2000 ans (1974)

REPORTER :
Allô ? Le général Q
Envoie des émissaires

En Afrique du Nord ?
Bon, j'y vais.

Le reporter s'envole, suivi par Face de Ramadhan, en gandoura de soie. Entre une hôtesse de l'air.

L'HÔTESSE :
Coran, Whisky ?
FACE DE RAMADHAN :
Un Coran de luxe.

L'hôtesse quitte la scène, suivie à distance par le reporter. Face de Ramadhan sort de l'avion en grand seigneur, brandissant le Coran comme un passeport diplomatique. Un policier le salue, puis le suit discrètement. Entre le chœur, composé de deux chômeurs. Ils soufflent à tour de rôle dans une cornemuse à forme humaine qui représente un bel homme au sourire éclatant, et au menton mussolinien : c'est le président Bourrequibat.

FACE DE RAMADHAN :
Qu'est-ce que vous faites ?
CHŒUR :
Tu vois bien.
CORYPHÉE :
On gonfle le président.
FACE DE RAMADHAN :
C'est votre métier ?
CHŒUR :
Il n'y a pas d'autre travail.
CORYPHÉE :
Jour et nuit, et même en dormant,
Nous gonflons inlassablement
Notre président.
FACE DE RAMADHAN :
Vous n'avez pas peur qu'il éclate ?
CHŒUR :
Sacrilège !

Face de Ramadhan s'enfuit à toutes jambes, poursuivi par le chœur.

CHŒUR, A PART :
Entre nous, cet idiot
A posé une question ;
Qui mérite réponse...
CORYPHÉE :
Si nous gonflons le président,
C'est bien pour qu'il éclate.
CHŒUR :
Mais il est increvable.
CORYPHÉE :
C'est un travail de longue haleine.
CHŒUR :
Et pendant qu'il se gonfle.
On organise l'opposition.

Entre le président Bourrequibat. Il jongle avec des bourses que lui tend inlassablement le président du Monde Libre. Le chœur applaudit, fasciné par les bourses. Deux policiers conduisent le chœur. Le premier agite sa matraque, comme une baguette de chef d'orchestre, et donne la mesure des applaudissements. Le second attrape au vol les bourses que lui jette le président Bourrequibat. Celui-ci, en jetant les bourses, se tourne vers le chœur, mais s'arrange pour qu'elles tombent aux mains du policier.

CHŒUR :
L'Amérique nous envoie des bourses !
CORYPHÉE :
Que de bourses ! Que de bourses ! Que de bourses !
POLICIER, *matraquant* :
Tiens, prends ça.
CHŒUR :
Aïe !
PREMIER POLICIER :
De quoi te plains-tu ?
SECOND POLICIER :
C'est une matraque américaine
En caoutchouc du Sud Viet-Nam.

LE PRÉSIDENT BOURREQUIBAT :

Il n'y a au Sud Viet-Nam aucune lutte de libération. Les États-Unis ne menacent pas l'indépendance de ce pays.

A ces mots, le président du Monde Libre accélère son envoi de bourses.

Europe, pp. 87-89.

1971 est cependant une année charnière dans la politique algérienne, puisqu'en janvier l'Union Nationale des Étudiants Algériens est dissoute, alors qu'en novembre est lancée la Révolution agraire, entraînant une adhésion massive des mêmes groupes étudiants, ainsi que d'une frange importante de la gauche progressiste. Pendant que les comités étudiants couvrent les universités de calicots et d'affiches brocardant « Si Boudinar », personnage mythique, symbole du « féodal » s'opposant à l'avancée du socialisme, et qu'ils appellent au volontariat, deux romanciers de langue arabe, Abdelhamid Benhadouga et Tahar Ouettar, développent les mêmes thèmes en littérature. Leur didactisme est parfois un peu lourd et ils ne manquent pas d'un certain nombre de contradictions, particulièrement en ce qui concerne l'émancipation féminine, un de leurs thèmes favoris. Mais Tahar Ouettar surtout transcende dès le début un didactisme qu'il n'abandonnera cependant jamais, en ayant recours au fantastique.

ABDELHAMID BENHADOUGA

La Fin d'hier (1974)

Le héros de *La Fin d'hier* est un instituteur, militant modèle, qui a bien du mal à faire évoluer les mentalités dans les villages où il demande à être nommé pour « travailler à la base », alors qu'il pourrait occuper des fonctions bien plus confortables. Ici nous le voyons face au maître coranique, lequel admet difficilement la construction d'un village socialiste dans le cadre de la Révolution agraire.

« Pourquoi le gouvernement n'édifierait-il pas le village dont tu parles ici, sur place, au lieu de le construire n'importe où ?

— Parce que l'endroit ne convient pas : loin des grandes voies de communication, loin de la ligne électrique. Un village moderne a besoin de la route et de la lumière.

— Le gouvernement a les moyens d'ouvrir la route, s'il le veut. La lumière ? Dieu la fait briller sur nos têtes chaque jour.

— Mais, en plus de la lumière et de la route, un village moderne doit assurer à ses habitants le confort, grâce à l'eau, au hammam, au dispensaire, à l'école ; tous y bénéficieront de l'instruction, des soins ; ils y trouveront un travail correspondant à leurs capacités.

— Pendant la guerre, les Français aussi ont créé des villages de regroupement...

— Pour surveiller les gens, les soumettre à des tracasseries. Notre gouvernement poursuit d'autres buts, il veut élever le niveau de vie.

— Selon toi, on rendra les gens heureux en les regroupant. Ne vois-tu pas que, même éloignés les uns des autres, ils ne cessent de se quereller !

— La dispersion est précisément à l'origine de leurs divisions.

— C'est pour ne pas se nuire qu'ils se sont dispersés. Vont-ils abandonner les maisons de leurs pères, de leurs ancêtres ? Non, ce serait une catastrophe. »

Bachir tentait en vain de se faire entendre d'un interlocuteur chez qui la passion l'emportait sur le raisonnement : les gens se laissent guider plus facilement par les sentiments que par l'intelligence. Alors une tristesse indicible s'empara de lui. Il avait beau vouloir approfondir le sujet, toutes ses explications se brisaient contre un roc sans faille. Il songea : pendant l'occupation, ce cheikh et d'autres hommes ont su résister et sauvegarder la personnalité algérienne ; mais ce sont les mêmes qui aujourd'hui font obstacle à toute réforme et retardent le progrès.

Traduction Marcel Bois.
Alger, S.N.E.D., 1977, pp. 54-55.

TAHAR OUETTAR

Ez-Zilzel (Le Séisme), 1974

Double du Si Boudinar des slogans étudiants, Si Boularouah est un grand propriétaire terrien venu à Constantine solliciter ses alliés pour échapper à la Révolution agraire. Dès le début du roman il appelle sur cette ville-symbole de la tradition, qui s'est pourtant dépravée à ses yeux, la malédiction de Sidi Rached. Mais le discours halluciné qu'il tient se retourne peu à peu contre le personnage central du roman. Voici ce dernier parvenu sur le célèbre pont suspendu au-dessus de l'abîme, alors que des deux côtés les enfants de la Révolution agraire convergent vers lui. L'intérêt du projet romanesque, outre le rythme hallucinant de l'imprécation qui peu à peu submerge ce représentant d'un ordre ancien, est d'avoir fait de cet antihéros, de son point de vue et de son discours le centre même du roman. Ouettar échappe ainsi au piège du « héros positif », noyau de la plupart des autres romans didactiques.

Le Pont oscilla au passage d'une voiture ; un âne martelait la chaussée de ses sabots. Un feu intérieur le dévorait, la lave débordait et le submergeait, le brouillard sombre obscurcissait tout autour de lui.

Il crut entendre sa propre voix :

« Hanifa, toi, la femme de mon père et la mienne, tu étais Aïcha, lui ressemblant en tout. Pourquoi ai-je imprimé la marque de mes doigts sur ton cou devenu bleu, comme s'était imprimée sur le cou d'Aïcha la marquc des doigts de mon père ? »

Le martèlement des sabots se rapprochait. Il ferma les yeux. Ses doigts se contractèrent autour du cou de Hanifa ; il serra, serra encore. Elle rendit le dernier soupir. Il la souleva, étendit les bras en avant et ses doigts relâchèrent leur étreinte. Hanifa, dans sa chemise de nuit transparente, se mit à tomber en tournoyant. Avant d'atteindre le fond du gouffre, elle se tourna vers lui et murmura :

« Tu ne vaux pas mieux que ton père ! »

Il rouvrit les yeux.

« Le Pont oscille, la chaleur est toujours aussi étouffante, les entrées du Pont toujours barrées par ceux qui me traquent. Ils m'assiègent, venus de partout : Sidi M'cid, dépotoir Boulfraïs, Souika, Souk-El-Asser, Bardo, Djenane Tchina.

Tous à ma poursuite : enfants des martyrs, enfants des ouvriers de Maschat ; enfants des cheminots et des ouvriers de la mosquée Émir Abdelkader.

Mais ils n'auront pas ma peau, je suis plus fort qu'eux. Je vais les attraper et en faire un énorme fagot que je jetterai par-dessus bord. J'ai promis une offrande à Sidi Rached, qui ne déçoit pas ceux qui l'invoquent.

Non, ils ne m'arracheront pas mes terres. Je suis un homme de bien, un fidèle serviteur de Dieu qui m'a donné sa terre en héritage et m'a assigné une place honorable parmi les riches. »

« Bou-la-rouah ! Ya Boularouah ! »

Des deux extrémités du Pont lui parvenaient les cris. Il virevolta sur la droite, puis sur la gauche.

« Ils sont armés. Tahar Boularouah et Abdelkader Boularouah les accompagnent, Amar aussi. Aïssa porte la pancarte du défilé. Arezki le bâtier est leur imam. Ils se précipitent, les voilà qui foncent ! »

— Sidi Rached ! Bonnes gens de Constantine !

— Ya Boularouah ! répondirent les enfants.

Il rouvrit les yeux.

« Profond, le précipice est profond. Il a englouti Abraham l'Ami de Dieu, il a englouti les tribus de 'Ad, de Thamoud, de Djourhoum et de Kahtâne ; et encore Tacfarinas, Jugurtha, Néron, Okba et Moussaïlima. Le précipice est d'une profondeur vertigineuse. Il a englouti les affamés, les enfants de la Souika, de Sidi M'cid, d'Aouinet-El-Foul, du dépotoir Boulfraïs, les enfants de tous les travailleurs et de tous les misérables.

« Non, je ne vous rejoindrai pas dans les profondeurs. »

Il tâta les câbles d'acier qui soutenaient le Pont...

« Si les Français étaient encore là, si d'une manière ou de l'autre ils revenaient ; si les Juifs d'Algérie n'avaient pas commis la plus grosse erreur jamais commise par les Juifs ; si Belbey avait trouvé des partisans... »

Le volcan intérieur se réveilla, la lave débordait par les yeux, le nez, la bouche ; les ténèbres l'enveloppaient...

« Au début du cinquième mois, elle me dit que quelque chose remuait dans son ventre. Heureuse nouvelle. Mais une semaine plus tard elle avait disparu et je restai sans nouvelles pendant des années. Un jour on m'apprit qu'elle était en France avec son cousin, le père de l'enfant.

— Où as-tu fui, ma seconde épouse ? Tu es là, à mes pieds. »

Il se baissa, lui entoura le cou de ses doigts et serra de toutes ses forces. Mais elle garda son souffle : un mouvement régulier soulevait et abaissait sa poitrine.

« Je ne mourrai pas. Ce n'est pas moi, c'est toi-même que tu étrangles, malheureux ; toi, impuissant et stérile ! »

Il la souleva et la précipita. Elle plongeait vers l'abîme. Une descente interminable. Avant d'atteindre le fond, elle lui lança :

« Mon fils reviendra de France et te précipitera dans un abîme sans fond. »

Ses yeux s'ouvrirent.

Traduction Marcel Bois,
Alger, S.N.E.D., 1977, pp. 164-166.

Troisième partie

Perspectives actuelles

Avec le début des années 80, le politique va petit à petit s'éloigner du champ littéraire, du moins dans son immédiateté. Certes, ce recul du politique correspond une fois de plus à une évolution générale de la littérature et des sociétés qui dépasse le seul cadre de l'Algérie. Mais pour la littérature algérienne, ou plus généralement maghrébine, il correspond aussi à une maturité. Littérature émergente, la littérature algérienne avait dû d'abord se faire reconnaître. Puis elle dut s'imposer comme la parole de la contestation, pratiquement impossible dans le champ clos d'un discours de l'autocélébration qui occupe souvent la scène nationale. Cette double dynamique a donné à cette littérature une expansion telle qu'elle n'a plus besoin à présent de tels prétextes pour se développer. Non plus lettre ouverte, non plus slogan, les textes de ces dernières années pourront s'affirmer enfin comme ce qu'ils sont depuis toujours : littérature. Libérés ainsi des contraintes de l'émergence, ils révèlent déjà une très grande diversité.

1

Le poids du passé et l'origine de la parole

Tout texte littéraire, et surtout romanesque, ne s'écrit que dans un constant dialogue, dans un frottement ininterrompu avec d'autres textes qui le précèdent, et que les urgences d'une littérature émergente avaient fait un peu oublier jusqu'ici. Parmi ces textes, les premiers sont ceux de l'Histoire et du Mythe, fondements de l'identité du scripteur comme de l'espace culturel enfin reconnu dans lequel il écrit. L'Histoire va donc être sollicitée par les écrivains, non plus pour démontrer ou célébrer une légitimité politique qui n'en a plus besoin, mais comme une fascination par laquelle l'être même de la littérature va en quelque sorte leur être donné.

Retrouver l'Histoire d'un peuple sera aussi, dans la manière ludique et non plus didactique de l'écrivain, retrouver sa propre biographie. Si la littérature algérienne avait commencé par des autobiographies-témoignages pour solliciter la reconnaissance de l'Autre, elle aboutit ici à l'histoire personnelle comme restitution, non plus avant le travail littéraire, mais comme aboutissement de ce travail. Et en disant ainsi sans détour un passé personnel qui n'apparaissait que transposé dans leurs œuvres précédentes, les auteurs disent aussi l'origine, le premier balbutiement de leur parole d'écrivains.

Certes, ces textes gardent une dimension militante. Ainsi Assia Djebar dans l'Histoire de la conquête ou de la libération de son pays comme dans sa propre histoire personnelle, se fait la voix, la sœur de toutes celles qui ne possèdent pas comme elle cette possibilité de dire. Et c'est la langue-blessure de l'Autre qui lui permettra, peut-être par le désordre qu'elle institue, de désentraver leurs premières expressions de personnes. Mais Assia Djebar n'est jamais porte-parole béat : la polyphonie des différents récits qu'elle met en œuvre parallèlement dans *L'Amour, la fantasia* ou dans *Ombre sultane* révèle aussi la mutilation liée au fait même de dire, et inscrit cette parole féminine dans un ensemble infiniment plus complexe que celui d'un simple militantisme féministe.

De la même façon l'Histoire enfin dite par Boudjedra est, certes, remise en question du récit officiel de la Révolution, ou encore de celui des *Mille et une nuits*, autre récit de camouflage d'une réalité politique et sociale. Mais elle est aussi prétexte à une multiplication des niveaux narratifs et de langue, se fécondant réciproquement, ce qui fait peut-être du *Démantèlement* et de *La Prise de Gibraltar* ses meilleurs romans. Or cette lecture de l'Histoire et de ses langages va le conduire, dans *La Macération* et *La Pluie*, à s'interroger sur l'origine de sa propre écriture. L'ensemble de ses quatre derniers romans dit enfin directement l'autobiographie dont *La Répudiation* déjà mettait en scène la narration.

Le jeu avec l'Histoire et leur propre biographie est également la dimension essentielle de l'œuvre fort intéressante de deux jeunes écrivains, Tahar Djaout et Habib Tengour. Pourtant là encore le grand modèle reste Kateb Yacine, dont *Le Polygone étoilé* dès 1966, après son jeu éblouissant avec la multiplication des niveaux historiques, narratifs ou mythiques, débouche sur l'autobiographie directe pour désigner cette « gueule du loup » où prend source, dans la perte des « chants brisés de (son) enfance » dont parlait Rachid dans *Nedjma*, toute son écriture.

KATEB YACINE

Le Polygone étoilé (1966)

Tribu des fondateurs, les Beni Hilal représentent l'identité bédouine. Mais leur épopée est à lire ici à plusieurs niveaux, comme la plupart des récits dont se compose *Le Polygone étoilé*. Ainsi le mythe est-il prétexte à désigner aussi l'Algérie actuelle, à laquelle le rythme des phrases confère une identité transcendée, et que désignent malicieusement la métaphore du polygone, comme bien d'autres allusions du texte.

Jamais on n'attendait le retour des Beni Hilal. Toujours ils revenaient bouleverser les stèles, et emporter les morts, jaloux de leur mystère, inconnus et méconnaissables, rejetons préconçus d'une maternité trop douloureuse pour les absoudre, les suivre en leurs tâtonnements avides, leurs luttes intestines, leurs pérégrinations, et qui les dévorait l'un après l'autre démocratiquement, en un ressentiment tragi-comique d'amours interrompues, de mâles taillés en pièces, d'enfantements sans halte, sans aide, sans secours, de fureur vide, mortifiante, comme un suicide recommencé, ne voulant plus connaître, toute espérance prohibée, que les extrêmes visions de mêlées sans merci, dans l'obnubilation, la solitude, et leur pensive tribulation de peuplade égarée, mais qui toujours se regroupait autour du bagne passionnel qu'ils appelaient Islam, Nation, Front ou Révolution, comme si aucun mot n'avait assez de sel, et ils erraient, souffle coupé cherchant la lune, l'eau ou le vent, vers les accords de grottes communicantes, le comité exécutif, dédoublé avec son destin de manchot intrépide, ses énergies de dernière chance, sur les chemins embroussaillés de la forme encore titubante, même pas prolétarienne, à peine consciente, et qui leur revenait désolée, souillée, jamais assez brimée, comme pour leur demander le coup de grâce, ou le retour en force et l'oubli des défaites, et comme pour les submerger de puissantes caresses, leur prodiguer la gifle ou le sein maternel, et leur remémorer les exploits légendaires, car elle seule pouvait les faire vivre, leur parler, murmure de brasier faisant peau neuve sous le rapide orage d'été, chants d'aurore destinés aux frères d'insomnie, moqueuse protection de la portée d'oursons que berceraient bientôt des sons d'absurde hostilité sous un nouveau feuillage interdit et blessant, eux, les fous du désert, de la mer, et de la forêt ! Ils ne manqueraient pas d'espace à conquérir, et il faudrait tout exhumer, tout reconstituer, écarter l'hypothèque de ce terrain douteux qui avait attiré soldats et sauterelles, dont le propriétaire avait été tué, dépossédé, mis en prison, et sans doute avait émigré, laissant aux successeurs un vieil acte illisible n'indiquant plus qu'un polygone hérissé de charbons, apparemment inculte et presque inhabité, immense, inaccessible et sans autre limite que les étoiles, les barbelés, la terre nue, et le ciel sur les reins, en souvenir de la fraction rebelle, irréductible en ses replis, et jusqu'à sa racine : la rude humanité prométhéenne, vierge après chaque viol, qui ne devait rien à personne ; Atlas lui-même avait ici déposé son fardeau et constaté que l'univers pouvait fort bien tenir autrement que sur ses épaules.

Jamais on n'attendait le retour des Beni Hilal. Ils revenaient toujours bouleverser les stèles et emporter leurs morts, jaloux de leur mystère, inconnus et méconnaissables, parmi les fondateurs. (pp. 143-144.)

Une grande partie de l'œuvre de Kateb Yacine a pu être lue comme une « autobiographie plurielle », particulièrement à travers les quatre amis dans *Nedjma*, que l'on retrouve dans *Le Cercle des représailles* comme dans *Le Polygone étoilé*. Mais l'autobiographie directe ne va surgir qu'aux toutes dernières pages du *Polygone étoilé*, comme une sorte de conclusion et d'aboutissement, dans le dernier des trois livres, de cet ensemble qui constitue la partie la plus importante de l'œuvre de l'écrivain.

Quelqu'un qui, même de loin, aurait pu m'observer au sein du petit monde familial, dans mes premières années d'existence, aurait sans doute prévu que je serais un écrivain, ou tout au moins un passionné de lettres, mais s'il s'était hasardé à prévoir dans quelle langue j'écrirais, il aurait dit sans hésiter : « en langue arabe, comme son père, comme sa mère, comme ses oncles, comme ses grands-parents ». Il aurait dû avoir raison, car, autant que je m'en souvienne, les premières harmonies des muses coulaient pour moi naturellement, de source maternelle.

Mon père versifiait avec impertinence, lorsqu'il sortait des Commentaires, ou du Droit musulman, et ma mère souvent lui donnait la réplique, mais elle était surtout douée pour le théâtre. Que dis-je ? A elle seule, elle était un théâtre. J'étais son auditeur unique et enchanté, quand mon père s'absentait pour quelque plaidoirie, dont il nous revenait persifleur ou tragique, selon l'issue de son procès.

Tout alla bien, tant que je fus un hôte fugitif de l'école coranique. C'était à Sédrata, non loin de la frontière algéro-tunisienne, où se trouve encore aujourd'hui l'épave miraculeuse de toute une tribu... C'est là que j'ai gagné ma planchette en couleurs, après avoir innocemment gravi une immense carrière de versets incompris. Et j'aurais pu m'en tenir là, ne rien savoir de plus, en docte personnage, ou en barde local, mais égal à lui-même, heureux comme un poisson, dans un étang peut-être sombre, mais où tout lui sourit. Hélas !

il me fallut obéir au destin torrentiel de ces truites fameuses qui finissent tôt ou tard dans l'aquarium ou dans la poêle.

Mais je n'étais encore qu'un têtard, heureux dans sa rivière, et des accents nocturnes de sa gent batracienne, bref ne doutant de rien ni de personne. Je n'aimais guère la férule ni la barbiche du taleb[1], mais j'apprenais à la maison, et nul reproche ne m'était fait. Pourtant, quand j'eus sept ans, dans un autre village (on voyageait beaucoup dans la famille, du fait des mutations de la justice musulmane), mon père prit soudain la décision irrévocable de me fourrer sans plus tarder dans la « gueule du loup », c'est-à-dire à l'école française. Il le faisait le cœur serré :

« Laisse l'arabe pour l'instant. Je ne veux pas que, comme moi, tu sois assis entre deux chaises. Non, par ma volonté, tu ne seras jamais une victime de Medersa[2]. En temps normal, j'aurais pu être moi-même ton professeur de lettres, et ta mère aurait fait le reste. Mais où pourrait conduire une pareille éducation ? La langue française domine. Il te faudra la dominer, et laisser en arrière tout ce que nous t'avons inculqué dans ta plus tendre enfance. Mais une fois passé maître dans la langue française, tu pourras sans danger revenir avec nous à ton point de départ. »

Tel était à peu près le discours paternel.

Y croyait-il lui-même ?

Ma mère soupirait ; et lorsque je me plongeais dans mes nouvelles études, que je faisais, seul, mes devoirs, je la voyais errer, ainsi qu'une âme en peine. Adieu notre théâtre intime et enfantin, adieu le quotidien complot ourdi contre mon père, pour répliquer, en vers, à ses pointes satiriques... Et le drame se nouait.

Après de laborieux et peu brillants débuts, je prenais goût rapidement à la langue étrangère, et puis, fort

1. Maître d'école coranique.
2. Collège en langue arabe.

amoureux d'une sémillante institutrice, j'allais jusqu'à rêver de résoudre, pour elle, à son insu, tous les problèmes proposés dans mon volume d'arithmétique !

Ma mère était trop fine pour ne pas s'émouvoir de l'infidélité qui lui fut ainsi faite. Et je la vois encore, toute froissée, m'arrachant à mes livres — tu vas tomber malade ! — puis un soir, d'une voix candide, non sans tristesse, me disant : « Puisque je ne dois plus te distraire de ton autre monde, apprends-moi donc la langue française... » Ainsi se refermera le piège des Temps Modernes sur mes frêles racines, et j'enrage à présent de ma stupide fierté, le jour où, un journal français à la main, ma mère s'installa devant ma table de travail, lointaine comme jamais, pâle et silencieuse, comme si la petite main du cruel écolier lui faisait un devoir, puisqu'il était son fils, de s'imposer pour lui la camisole du silence, et même de le suivre au bout de son effort et de sa solitude — dans la gueule du loup.

Jamais je n'ai cessé, même aux jours de succès près de l'institutrice, de ressentir au fond de moi cette seconde rupture du lien ombilical, cet exil intérieur qui ne rapprochait plus l'écolier de sa mère que pour les arracher, chaque fois un peu plus, au murmure du sang, aux frémissements réprobateurs d'une langue bannie, secrètement, d'un même accord, aussitôt brisé que conclu... Ainsi avais-je perdu tout à la fois ma mère et son langage, les seuls trésors inaliénables — et pourtant aliénés ! (pp. 179-182.)

ASSIA DJEBAR

L'Amour, la fantasia (1985)

L'Amour, la fantasia est construit à partir de récits historiques et de récits autobiographiques alternés, dans lesquels le milieu féminin traditionnel de l'enfance vécue entre en résonances dans l'écriture de langue française avec l'exotisme désiré de l'Algérie d'avant la conquête dans le regard et les mots des conquérants. Or la parole est effraction et prise, surtout quand elle est en langue étrangère. Aussi la première partie du roman, qui s'intitule « La prise de la ville », est-elle sous-titrée : « L'amour s'écrit ». La parole est d'abord celle du rapt, dont la romancière doit renverser son corps pour la lire, avant de chercher la place de ce corps de femme dans l'éboulement également féminin des générations-aïeules.

Du combat vécu et décrit par le baron Barchou, je ne retiens qu'une courte scène, phosphorescente, dans la nuit de ce souvenir.

Barchou la rapporte d'un ton glacé, mais son regard, qui semble se concentrer sur la poésie terrible ainsi dévoilée, se révulse d'horreur : deux femmes algériennes sont entrevues au détour d'une mêlée.

Car certaines tribus de l'intérieur sont venues au complet : femmes, enfants, vieillards. Comme si combattre c'était, plutôt que de monter à l'assaut et s'exposer à la crête, se donner d'un bloc, tous ensemble, sexes et richesses confondus ! Les Zouaves en particulier, Kabyles alliés au bey du Titteri, forment, dans l'effervescence générale, une houle bigarrée.

Un mois après, Barchou se souvient donc et écrit : « Des femmes, qui se trouvent toujours en grand nombre à la suite des tribus arabes, avaient montré le plus d'ardeur à ces mutilations. L'une d'elles gisait à côté d'un cadavre français dont elle avait arraché le cœur ! Une autre s'enfuyait, tenant un enfant dans ses bras : blessée d'un coup de feu, elle écrasa avec une pierre la tête de l'enfant, pour l'empêcher de tomber vivant dans nos mains ; les soldats l'achevèrent elle-même à coups de baïonnette. »

Ces deux Algériennes — l'une agonisante, à moitié raidie, tenant le cœur d'un cadavre français au creux de sa main ensanglantée, la seconde, dans un sursaut de bravoure désespérée, faisant éclater le crâne de son enfant comme une grenade printanière, avant de mourir, allégée —, ces deux héroïnes entrent ainsi dans l'histoire nouvelle.

Je recueille scrupuleusement l'image, deux guerrières entrevues de dos ou de biais, en plein tumulte, par l'aide de camp à l'œil incisif. Annonce d'une fièvre hallucinatoire, lacérée de folie... Image inaugurant les futures « mater dolorosa » musulmanes qui, nécrophores de harem, vont enfanter, durant la soumission du siècle suivant, des générations d'orphelins sans visage.

Dès ce prélude, s'attise comme un soleil noir !... Mais pourquoi, au-dessus des cadavres qui vont pourrir sur les successifs champs de bataille, cette première campagne d'Algérie fait-elle entendre les bruits d'une copulation obscène ?

....

BIFFURE...

La prise de l'Imprenable... Images érodées, délitées de la roche du Temps. Des lettres de mots français se profilent, allongées ou élargies dans leur étrangeté, contre les parois des cavernes, dans l'aura des flammes d'incendies successifs, tatouant les visages disparus de diaprures rougeoyantes...

Et l'inscription du texte étranger se renverse dans le miroir de la souffrance, me proposant son double évanescent en lettres arabes, de droite à gauche redévidées ; elles se délavent ensuite en dessins d'un Hoggar préhistorique...

Pour lire cet écrit, il me faut renverser mon corps, plonger ma face dans l'ombre, scruter la voûte de rocailles ou de craie, laisser les chuchotements immémoriaux remonter, géologie sanguinolente. Quel magma de sons pourrit là, quelle odeur de putréfaction s'en échappe ? Je tâtonne, mon odorat troublé, mes oreilles ouvertes en huîtres, dans la crue de la douleur ancienne. Seule, dépouillée, sans voile, je fais face aux images du noir...

Hors du puits des siècles d'hier, comment affronter les sons du passé ?... Quel amour se cherche, quel avenir s'esquisse malgré l'appel des morts, et mon corps tintinnabule du long éboulement des générations-aïeules. (pp. 28-29 et p. 58.)

Le poids de l'Histoire, c'est aussi l'impossibilité des mots de la lettre d'amour. La narratrice s'est fait voler par une mendiante le portefeuille contenant une lettre d'amour qu'elle conservait. C'est l'occasion de réfléchir sur la possibilité même d'écrire les mots de l'amour, et son risque.

Je me souviens donc de cette lettre d'amour, de sa navigation — et de son naufrage. L'évocation de la mendiante rejoint inopinément l'image de mon père détruisant, sous mes yeux, le premier billet — invite si banale — dont je retirai les morceaux de la corbeille. J'en reconstituai le texte avec un entêtement de bravade. Comme s'il me fallait désormais m'appliquer à réparer tout ce que lacéraient les doigts du père...

Chaque mot d'amour, qui me serait destiné, ne pourrait que rencontrer le diktat paternel. Chaque lettre, même la plus innocente, supposerait l'œil constant du père, avant de me parvenir. Mon écriture, en entretenant ce dialogue sous influence, devenait en moi tentative — ou tentation — de délimiter mon propre silence... Mais le souvenir des exécuteurs de harem ressuscite ; il me rappelle que tout papier écrit dans la pénombre rameute la plus ordinaire des inquisitions !

Après l'incident de la mendiante, je retrouvai l'auteur de la lettre. Je repris la vie dite « conjugale ». Or notre histoire, bonheur exposé, aboutit, par une soudaine accélération, à son terme. La mendiante, qui me subtilisa la lettre, tandis que son enfant dormait contre son épaule, l'intrus, avant elle, qui posa son regard sur les mots d'intimité, devenaient, l'un et l'autre, des annonciateurs de cette mort.

Écrire *devant* l'amour. Éclairer le corps, pour aider à lever l'interdit, pour dévoiler... Dévoiler et simultanément tenir secret ce qui doit le rester, tant que n'intervient pas la fulgurance de la révélation.

Le mot est torche ; le brandir devant le mur de la séparation ou du retrait... Décrire le visage de l'autre, pour maintenir son image ; persister à croire en sa présence, en son miracle. Refuser la photographie, ou toute autre trace visuelle. Le mot seul, une fois écrit, nous arme d'une attention grave.

Dès lors l'écrit s'inscrit dans une dialectique du silence devant l'aimé. Plus la pudeur raidit les corps en présence, plus le mot recherche la mise à nu. La réserve naturelle ralentit un geste ou un regard, exacerbe un frôlement de la main, de la peau ; par refus orgueilleux de se parer, la neutralité du vêtement est affirmée en choix — en même temps, et dans un même élan, la voix se dénude et se livre par des mots nets, précis, purs. Elle s'élance, elle se donne, irruption de lis dans une allée ténébreuse...

Préliminaires de la séduction où la lettre d'amour exige non l'effusion du cœur ou de l'âme, mais la précision du regard. Une seule angoisse m'habite dans cette communication : celle de ne pas assez dire, ou plutôt de ne pas dire juste. Surmonter le lyrisme, tourner le dos à l'emphase ; toute métaphore me paraît ruse misérable, approximative faiblesse. Autrefois, mes aïeules, mes semblables, veillant sur les terrasses ouvertes au ciel, se livraient aux devinettes, au hasard des proverbes, au tirage au sort des quatrains d'amour...

En fait, je recherche, comme un lait dont on m'aurait autrefois écartée, le pléthore amoureuse de la langue de ma mère. Contre la ségrégation de mon héritage, le mot plein de l'amour-au-présent me devient une parade-hirondelle.

Quand l'adolescente s'adresse au père, sa langue s'enrobe de pruderie... Est-ce pourquoi la passion ne pourra s'exprimer pour elle sur le papier ? Comme si le mot étranger devenait taie sur l'œil qui veut découvrir !

L'amour, si je parvenais à l'écrire, s'approcherait d'un point nodal : là gît le risque d'exhumer des cris, ceux d'hier comme ceux du siècle dernier. Mais je n'aspire qu'à une écriture de transhumance, tandis que, voyageuse, je remplis mes outres d'un silence inépuisable. (pp. 75-76.)

> C'est peut-être parce que l'Histoire habite la langue des Autres dans laquelle l'autobiographie enfin s'écrit, qu'il a fallu passer par la lecture de l'Histoire pour en arriver, simultanément, à cette écriture. Et finalement cette autobiographie, si elle fait résonner l'anonymat des aïeules, n'est pas pour autant libératrice. Si, « Fillette arabe dans un village du Sahel algérien », la narratrice a été amenée à l'école française par son père, comme Kateb avait été jeté dans la « gueule du loup », n'a-t-elle fait que trouver dans cette langue un autre silence ?

Pour ma part, tandis que j'inscris la plus banale des phrases, aussitôt la guerre ancienne entre deux peuples entrecroise ses signes au creux de mon écriture. Celle-ci, tel un oscillographe, va des images de guerre — conquête ou libération, mais toujours d'hier — à la formulation d'un amour contradictoire, équivoque.

Ma mémoire s'enfouit dans un terreau noir ; la rumeur qui la porte vrille au-delà de ma plume.

« J'écris, dit Michaux, pour me parcourir. » Me parcourir par le désir de l'ennemi d'hier, celui dont j'ai volé la langue...

L'autobiographie pratiquée dans la langue adverse tisse comme fiction, du moins tant que l'oubli des morts charriés par l'écriture n'opère pas son anesthésie. Croyant « me parcourir », je ne fais que choisir un autre voile. Voulant, à chaque pas, parvenir à la transparence, je m'engloutis davantage dans l'anonymat des aïeules !

Une constatation étrange s'impose : je suis née en *dix-huit cent quarante-deux*, lorsque le commandant de Saint-Arnaud vient détruire la zaouia[1] des Beni Menacer, ma tribu d'origine, et qu'il s'extasie sur les vergers, sur les oliviers disparus, « les plus beaux de la terre d'Afrique », précise-t-il dans une lettre à son frère.

C'est aux lueurs de cet incendie que je parvins, un siècle après, à sortir du harem ; c'est parce qu'il m'éclaire encore que je trouve la force de parler. Avant d'entendre ma propre voix, je perçois les râles, les gémissements des emmurés du Dahra[2], des prisonniers de Sainte-Marguerite[3] ; ils assurent l'orchestration nécessaire. Ils m'interpellent, ils me soutiennent pour qu'au signal donné mon chant solitaire démarre.

La langue encore coagulée des Autres m'a enveloppée, dès l'enfance, en tunique de Nessus[4], don d'amour de mon père qui, chaque matin, me tenait par la main sur le chemin de l'école. Fillette arabe, dans un village du Sahel algérien... (pp. 242-243.)

1. Confrérie religieuse. Par extension, lieu de culte et même village de cette confrérie, et de la tribu qui s'en réclame.

2. Massif montagneux du nord-ouest de l'Algérie, où une tribu fut emmurée vive dans des grottes lors de la colonisation.

3. Célèbre prison politique.

4. Centaure qui offrit à Hercule la tunique empoisonnée dont celui-ci mourut.

Ombre sultane (1987)

A la fois voyeuse et sœur fantasmatique, la narratrice se fait complice des sorties clandestines de la nouvelle épouse, traditionnelle contrairement à elle, de l'homme qu'elle a aimé. Le roman sera l'alternance de deux récits qui n'aboutissent qu'à l'amorce aussitôt rompue d'un dialogue : ces deux récits n'étaient-ils pas tous deux dits par la seule Isma, narratrice utilisant le « je » pour sa propre histoire, et le « tu » pour celle de Hajila, se rêvant sœur de Shéhérazade mais restant seule à raconter ? Dans une certaine mesure, le jeu de l'écriture, toujours prisonnière des victimes du passé, est peut-être faussé d'avance ?

La sœur

Lit-cage vendu ensuite à l'encan, cuivre sculpté, concassé puis exposé sur lcs trottoirs de la brocante. La voix sous le lit redevient celle de l'éveilleuse qui se tapit jusqu'à la rive de l'aurore.

Chaque nuit, une femme s'apprête à veiller pour parer au geste sanglant de l'exécuteur. L'écouteuse, cette fois, est la sœur. Son insomnie assure l'entraide sans faille ; elle permet d'entrevoir le salut d'avant le jour.

La sœur attend sous le lit. La sœur de l'amante ; parce que sœur justement, donc interdite au polygame. La sœur de celle qui invente, de celle qui rêve et qui prévoit, de celle qu'on salue sultane d'un jour et qui se sait victime offerte au soleil, elle qui, à chaque mot proféré, se meut entre le trône et l'holocauste.

Au centre de la couche se fixe le regard du maître, lui qui s'interpose dans l'écoute de femme à femme. Dérive de la conteuse vers l'éveilleuse, au-dessus et au-dessous de l'estrade d'amour.

L'homme écoute, lui qui a droit de vie et de mort. Il écoute et il porte le poids du verdict fatal, qu'il suspend de douze heures au plus jusqu'au prochain crépuscule.

Une femme espionne sous le lit ; une femme lance le premier mot qui devance la défaillance. Sa voix est prête à voler pour chaque maille filée du récit, et cette femme est la sœur.

Auparavant, elle a dû laisser s'écouler le bruit du plaisir et son chaos. Sa rumeur : oued en crue, même en plein désert. La crue qui charrie la menace, qui gronde et qui noie.

Mais pourquoi la sœur se place-t-elle sous le lit ?... La loi autorise le polygame à prendre toute concubine, toute femme esclave s'il est maître, sauf la sœur de celle qu'il renverse dans sa couche. La sœur sous le lit peut donc attendre, peut donc entendre et, pour cela même, protéger de la mort.

Dans la fondrière de la jouissance des autres, elle peut prendre gîte, tout à la fois prendre garde. Seule, sous les draperies du divan occupé, elle laisse couler la moire de la volupté, elle devance simultanément la mort qui se profile. Seule, puisque sœur de l'amante, à la fois sa semblable et son impossible rivale. Éveilleuse, elle demeure l'oiseleuse.

La sultane là-haut invente ; elle combat. Sa sœur sous la couche rameute les victimes du passé. (pp. 107-108.)

Luth

Sitôt libérées du passé, où sommes-nous ? Le préambule n'est pas tout à fait clos, la reine des aubes, sur son estrade, n'espère survivre que jour après jour, son salut n'est assuré que par la traversée de chaque nuit de harem, par chaque envolée dans l'imaginaire. Où sommes-nous donc, dans quel désert ou quelle oasis ?

Le présent se coagule. Il se mouvait pour nous auparavant, des siècles avant qu'Eurydice n'ait été retrouvée par Orphée, lui qui la reperdra, mais qui du moins l'aura quêtée, l'aura aimée. Toi et moi, nous regardons du premier regard, nous palpitons de la première angoisse. Bruit d'ailes là-haut dans le pigeonnier, la liberté commence ; plus exactement, elle s'apprête à commencer.

Sourire fugace du visage dévoilé ; l'enfance disparue, pouvons-nous la ressusciter, nous, les mutilées de l'adolescence, les précipitées hors corridor d'un bonheur excisé ? Le jet d'eau du patio roucoule... Dans quel lieu faire halte ? Nos rires ont fusé en gerbes évanouies, nos danses se sont emmêlées hier, dans le désordre de l'exubérance ; quel soleil ou quel amour nous stabilisera ?

Ô ma sœur, j'ai peur, moi qui ai cru te réveiller. J'ai peur que toutes deux, que toutes trois, que toutes — excepté les accoucheuses, les mères gardiennes, les aïeules nécrophores —, nous nous retrouvions entravées là, dans « cet occident de l'Orient », ce lieu de la terre où si lentement l'aurore a brillé pour nous que déjà, de toutes parts, le crépuscule vient nous cerner. (pp. 171-172.)

RACHID BOUDJEDRA

Le Démantèlement (1982)

Dès son premier roman, *La Répudiation*, en 1969, Rachid Boudjedra faisait allusion à la narration impossible d'un souvenir de trahison, au maquis. Le narrateur de ce premier roman était régulièrement arrêté pour empêcher le récit de ce souvenir, et le roman était en partie celui de cette difficile récupération d'une mémoire interdite et subversive. Treize ans plus tard, *Le Déman-*

tèlement ajoute à ce travail sur la mémoire celui sur l'écriture de l'Histoire en général qui en fait probablement un des meilleurs romans de cet auteur.

Née au début de la guerre d'Algérie, Selma tente d'en reconstituer l'Histoire à travers le récit du massacre d'un groupe de militants par d'autres maquisards, qu'elle soutire laborieusement au seul rescapé, Tahar El Ghomri. Ce dernier vit en marge, et sans autre document d'identité que la photo jaunie de son groupe massacré, et il écrit un journal. Ici, Selma tente de faire le point.

Un ami vint te prévenir que les autres avaient décidé de t'égorger. Tu étais en mission, à ce moment-là, et préparais une opération de grande envergure contre l'armée coloniale, loin de tes bases habituelles. Tu n'as pas hésité à fuir ; et quelques jours plus tard, tu apprenais qu'on avait égorgé une trentaine de tes camarades. Ta première réaction fut ridicule, stupide. Tu t'étais demandé qui allait te soigner dorénavant puisque le docteur Cogniot faisait partie des victimes de cet horrible massacre ! (Comment vont tes deux roses, aujourd'hui ?) Après le choc, venait l'hébétude. Tu t'en es voulu d'abord à toi-même. Le remords t'avait travaillé au ventre. Voilà comment tu avais réagi à la nouvelle de leur massacre... Qui allait te soigner, dorénavant ? Ta moelle s'était mise à se scléroser, tes poumons à rétrécir de plus en plus et tes quintes de toux ne pouvaient plus s'arrêter. Tu eus un accès de fièvre qui dura plusieurs jours et tu as continué à fuir ceux qui avaient décidé de t'égorger. Tu mourais de faim et refusais la galette d'orge des paysans qui t'hébergeaient, te connaissaient de longue date et t'écoutaient religieusement quand tu parlais de la distribution des terres à ceux qui les travaillent. Ils ne riaient pas, eux. [...] Et la photographie ? Les cinq hommes du premier rang étaient tous membres du comité central. Bouali Taleb était un soudeur à l'arc et un bricoleur de haut vol. Sid Ahmed était un intellectuel et un coureur de demi-fond (1 500 ou

3 000 mètres steeple ?). L'Allemand n'avait rien d'allemand mais ce surnom lui allait bien : le type aryen et la gorge toujours assoiffée de bière. Le docteur Cogniot était spécialisé dans les maladies pulmonaires. Tu disais : « Voilà tout ! » Mais je sortais insatisfaite et voulais voir à travers ces êtres, au-delà de leur *curriculum vitæ* : aller de l'autre côté des phénomènes apparents, pour approfondir le réel. Je partais à la recherche de ce qui est gommé, raturé, effacé, à la recherche du tain de la vie, parce que le miroir qui n'en a pas, est aveugle. Pour en revenir à l'écriture de ton journal, je dirai qu'il faudrait bien secouer les phénomènes et les éléments, puis les laisser déposer... C'est en cela que l'écriture est une fermentation, un dépôt, une émulsion. Ne pas oublier de tailler tes roseaux et de fabriquer une bonne provision d'encre à base de plantes marécageuses... L'écriture est un brouillage des données du réel pour mieux lui restituer son humus et son argile. Reste à ne pas laisser échapper le bout du fil conducteur, le filament de soie, la ligne électrifiée qui relie les événements les uns aux autres et charpente la structure, sinon l'histoire serait trahie, maculée, ambiguë... Tu fais comme les alchimistes d'antan et ta calligraphie n'est qu'une façon de conjurer le sort, d'atténuer la magie du réel, de rendre inoffensive la douleur humaine. L'écriture de l'histoire exige de déplacer les meubles et d'aller voir derrière, de débusquer les êtres et d'aller voir à l'intérieur de leur vision. Tu dis que l'affaire du coureur belge est une pure invention mais tu te fâches quand je te demande quelle est la couleur des yeux de Sid Ahmed. Tu veux décortiquer l'histoire et la montrer dans sa cruauté et sa nudité mais en même temps tu te caches dans ton antre, tu vis dans la clandestinité, tu voles le lait de l'État, tu pourchasses les gros pigeons dans les jardins publics et tu rêves de pêcher les poissons qui peuplent les bassins municipaux... C'est là que se trouve la contradiction. Pourquoi laisser de côté les

fantasmes, les interrogations, les analyses subjectives ? L'essentiel, c'est de ne pas perdre le fil conducteur et de garder l'intuition à portée de sa main. Tu dois te dire que je ne suis qu'une gamine prétentieuse, aveuglée par sa vanité... Qui est-elle ? Pour qui se prend-elle ? Elle n'était pas encore née quand j'ai pris les armes et traversé le pays de bout en bout. Certes, vous avez organisé des maquis ! Et alors ? Il faudrait surveiller cette tendance que vous avez, les aînés, à vous croire tous des martyrs... Vous avez une sale mentalité d'ancien combattant. Je n'y suis pour rien ! Mais alors, qu'est-ce que l'histoire ? (pp. 147-148.)

La Macération (1985)

Dans *La Macération*, la lecture de l'Histoire est moins subversive que dans *Le Démantèlement, La Répudiation* ou *L'Insolation*. Mais par tous ses registres, elle rejoint l'autobiographique. Ainsi, la réinterprétation des *Mille et une nuits*, déjà convoquée dans *Les 1001 années de la nostalgie* (1979), est-elle faite par l'amante, double de la Céline de *La Répudiation*, parce que le narrateur, comme l'auteur dans la réalité, doit en préparer une adaption cinématographique. D'ailleurs tout le roman est en partie un recueil de citations plus ou moins longues, plus ou moins modifiées et parfois pas modifiées du tout, des romans précédents de l'auteur : autre passage de l'Histoire — littéraire cette fois —, à la biographie. Mais plus profondément, le roman est également réappropriation de l'Histoire récente de l'Algérie à travers la biographie exceptionnelle du père du romancier, dont la lente agonie sert de cadre narratif au récit. Enfin, le roman donnera à réfléchir sur l'objectivité littéraire, si l'on compare le portrait admiratif qu'il brosse ici du père, à celui qu'en dressait *La Répudiation*...

A l'âge de quinze ans mon père fut surpris par l'un des amis de mon grand-père en flagrant délit, dans l'un des plus fameux bordels de Constantine ; et quelques mois après cet incident, on le maria à la va-vite, avec ma mère. A l'âge de dix-huit ans, il quitta le village flanqué de son épouse et de son premier enfant ; avec, pour toute fortune, une caisse pleine d'œufs frais. Quelques mois plus tard, il ouvrit une boutique et s'installa à son compte dans cette même ville où on l'avait surpris en train de fricoter des affaires louches avec les filles de la maison close. A vingt ans, il adhéra à l'un des partis nationalistes qui revendiquaient l'indépendance. Quelques semaines plus tard, il s'y imposait et était élu trésorier général adjoint de ce parti encore à l'état embryonnaire et qui allait devenir en 1936 le plus grand parti de masse sous l'appellation de Parti Populaire Algérien (P.P.A.). A vingt-cinq ans, il aiguisa son sens des affaires et devint l'un des plus riches commerçants de la ville de Constantine et père de trois enfants : un fil aîné qu'il prénomma Abdallah et deux filles cadettes nées la même année (1927) ; l'une en janvier et l'autre en décembre (Saïda et Yasmina). A trente ans propulsé à la tête d'une énorme fortune et devenu un dirigeant politique aimé des masses, il gifla publiquement un colonel de l'armée française, dans la plus grande artère de la ville. Après cet incident, il fut enfermé dans la prison militaire. Dès son arrivée, il ordonna à l'un des prisonniers politiques de lui apprendre le français dont il ne connaissait pas un traître mot, dans le but de connaître la langue de l'ennemi pour mieux le combattre et prendre lui-même sa propre défense devant le tribunal qui allait le juger, n'ayant aucune confiance dans les avocats. Au bout de quelques années, il quitta la forteresse militaire, après avoir séduit ses geôliers éblouis par sa forte personnalité, et maîtrisé la langue française dont il domina la forme et la syntaxe avec une aisance étonnante. La foule l'attendait à sa sortie, devant la porte de la prison, et la ville lui fit un accueil délirant en organisant une réception mémorable en son honneur. A trente-cinq ans, il quitta Constantine où ses affaires florissantes avaient atteint un niveau démentiel et sa célébrité une ampleur insoupçonnable, et s'installa à Tunis avec sa famille et quelques hommes de confiance. Aussitôt il prit en main toutes les affaires de l'import-export et en devint le maître incontesté. Il fit main basse — aussi — sur le domaine foncier ; les terres fertiles et l'industrie textile. A quarante ans, il inaugura le plus grand et le plus fameux café de Tunis, baptisé pour l'occasion : *Grand Café d'Alger*. C'est à cette époque qu'il se mit à fréquenter les cours des plus grands maîtres de l'université de la Zitouna ; bien qu'il fût versé dans les sciences linguistiques, la jurisprudence musulmane et l'histoire. *Le Grand Café d'Alger* devint vite le centre névralgique du nationalisme maghrébin et le fief de l'agitation anticoloniale, incessante et ininterrompue. Il fut arrêté une deuxième fois en 1939 et fut enfermé à la prison militaire de la Kasba de Tunis, sous l'inculpation de propagande politique et de complot contre la sûreté de l'État français, tant intérieure qu'extérieure. A l'entrée des troupes allemandes en Afrique du Nord, il fut libéré, en 1941, d'une manière triomphale (au mois de janvier, très exactement). Neuf mois plus tard, sa femme lui donna un nouveau fils qu'il prénomma Rachid. (pp. 47-48.)

La Prise de Gibraltar (1987)

Un an après le Marocain Driss Chraïbi dans *Naissance à l'aube* (1986), Boudjedra fait du récit de la conquête de l'Andalousie par Tarik Ibn Ziad, tel qu'il a été narré par Ibn Khaldoun, l'un des éléments de départ de son roman *La Prise de Gibraltar*. Mais si le récit emprunté à Ibn Khaldoun est mis en écho chez Chraïbi avec un récit tout personnel de l'identité berbère, Boudjedra quant à lui le met en parallèle avec celui du massacre d'une manifestation de femmes le 20 août 1955 à Constantine par l'armée française, lui-même articulé avec le récit autobiographique toujours recommencé de l'auteur.

Pourtant, si *La Macération* était sous-tendu par l'agonie du père, celui-ci est bien vivant dans *La Prise de Gibraltar*, qui prend son sens au contraire dans la mort de la mère, mise en relation avec la répression de la manifestation de femmes à Constantine. Dès lors on pourra lire dans ce roman une sorte de féminité de l'Histoire, à rebours de l'opposition anthropologique consacrée entre historicité et espace maternel. Or, la même année 1987, Boudjedra, décidément de plus en plus fécond, ne féminise-t-il pas explicitement son écriture en rédigeant *La Pluie*, roman dont un aspect essentiel est le journal de l'accès à l'écriture par une jeune femme ?

Les gorges du Rhumel avaient charrié tant de cadavres à l'époque que je croyais que j'allais devenir fou. La terre, cependant, continuait à tourner tranquillement sur elle-même, pendant que les soldats arrivés par bateaux entiers se déployaient sur chaque pouce de terrain et construisaient des miradors sur chaque crête du pays qu'ils transformaient en casemates bourrées d'armes meurtrières, de ravitaillements abondants et de trouille épouvantable. Je n'arrivais pas à oublier cette ville — Constantine — où ma mère décéda brusquement et où je percevais, chaque fois que j'y allais, comme un écho prolongé des bruits de toutes sortes qui accompagnent toute guerre ; comme — surtout — une sorte de hennissement sauvage, interminable et effrayant dont l'écho se répercutait contre le rocher sur lequel la ville était juchée. Je me souvenais du cimetière et du trou qu'on avait creusé pour y jeter son corps, ou, plutôt, pour s'en débarrasser. Avec tous ces lecteurs de Coran qui ne pouvaient dire que des âneries par rapport au désastre dont sa mort à elle — ma mère — allait être le point culminant d'une douleur comme innée, comme faisant partie de mon corps, comme étant une sorte de seconde nature, de sixième sens. Avec ce trou donc, comme un puits de lumière grouillante qui rendait flous les contours des choses et des gens arrêtés au bord de la tombe, comme des voyeurs insatiables alors que moi j'allais jusqu'à voir des pétales de roses baignant dans leur liquide parfumé, bouillonner à la surface de ce trou où on allait la jeter — maman — en pâture aux vers, aux racines et à l'argile. Je savais que ce n'était qu'une vision et que ce n'était rien par rapport à tous ces cadavres que charriaient les gorges grondantes, sinueuses, escarpées et très appréciées des suicidaires, des alcooliques et des fumeurs de kif, du Rhumel. Chaque matin que dura cette guerre que je n'arrive pas à oublier ou à banaliser, restait là, gravé dans cette mémoire déjà trop encombrée par le désastre familial, les langues étrangères mortes ou vivantes, les chiffres et les nombres. Encombrée, encore, par des résidus de cauchemars, des bribes de hantise, comme des morceaux de quartz concassés. Cauchemars hantant — encore aujourd'hui toutes les maisons, toutes les rues, toutes les places et tous les jardins publics de Constantine où les envahisseurs avaient imposé en 1846 un siège impitoyable qui allait durer plusieurs mois à l'époque de Salah (ou Ahmed ?) Bey. Cette même ville qui avait été envahie, aussi, le 20 août 1955 par les femmes en colère, avec parmi elles — ma propre mère. Une telle manifestation n'était pas seulement imprévisible mais inhabituelle ; avec, malgré cette sorte de dramaturgie qui préside à toute manifestation humaine massive, quelque chose — plutôt — de saugrenu et d'épouvantable. Les femmes avaient presque caché la ligne de l'horizon par la masse de leurs corps serrés et recouverts de voiles noirs, d'une façon lugubre. La Légion étrangère convoquée ne sut comment se dépatouiller dans cette masse féminine, noire, décidée et compacte. Cela fit rire certains mâles de la ville, les éternels traîtres, quelques chefs religieux qui virent là un comportement indécent, obscène et impur. *Dis c'est une souillure. Séparez-vous donc des épouses pendant les menstrues et n'en approchez qu'elles n'en soient purifiées...*, et l'oncle Hocine, particulièrement, avec sa grande gueule, sa langue de vipère et sa trouille viscérale, qui avait trouvé dans cette manifestation des femmes un morceau de choix. Il n'arrêta pas ce jour-là de se gausser, de glousser, de nous harceler et d'effrayer les femmes. En vain. Ma mère tint bon. (pp. 100-102.)

La Pluie (1987)

J'écris. Jamais je n'ai pu accéder à une telle sérénité ni à une telle transparence. Mais je n'ai pas pour autant oublié mes morts. Ni mon malheur. J'ai décidé de relire tout mon journal auquel j'ai consacré quelques années depuis ma puberté. Je relis en faisant très attention aux mots surtout que les événements relatés dans ce cahier sont parfois difficiles à comprendre tant le texte écrit est bourré de surcharges affectives. Comprimées. Ravalées. Étouffées. Effets anesthésiants du quotidien. Fouillis clairs-obscurs. Émois de l'intime. Mon sexe comme un éboulis fantastique. Sorte de dévastation scrofuleuse. Ou plutôt caillouteuse. Herbeuse. Charriant tant de sédiments et de limons que j'en reste perplexe. Éblouie. Constamment sur le qui-vive face à ce cratère saugrenu invraisemblable entre mes jambes. Sorte de gibbosité abracadabrante. Infernale. Longitudinale. Alcaline. Sinueuse. Etc. J'ai voulu réduire les risques de dérapage. Ligaturer cette hémorragie du sens sexuel. Fragmenter le texte. En fait : une sorte d'autocensure. En lisant je découvre que j'ai écrit certaines choses d'une façon involontaire. J'ai ainsi écrit d'une manière brute et anarchique. Sauvagement ! Mais les aménagements que j'ai introduits dans le texte ne changent rien à son contenu.

J'ai fait plusieurs lectures de ce journal écrit sous l'effet de la colère et de la fureur et du désarroi comme on dévore ses propres doigts. Pendant la relecture j'ai souvent appréhendé de mourir trop tôt avant de venir à bout de mon projet. Les feuilles de papier avaient l'air d'un brouillon infâme et désordonné. Ainsi j'ai découvert beaucoup de sens instables d'abstractions fluctuantes de symboles décontenançants et de déplacements subconscients. Puis j'ai tout récrit. Tout réorganisé. Tout segmenté. Profitant ainsi de cette insomnie chronique qui m'a été donnée comme une aubaine. J'écris donc. Le silence pèse sur la pièce où je me tiens. Ainsi que sur la maison entière. Et tout l'univers peut-être. J'écris. Le bruit du crayon fait comme une musique des morts. Mais l'essentiel : ce bruit merveilleux de la pluie. Tout juste tiède. (pp. 36-37.)

La génération de Selma est-elle si préoccupée par la guerre de ses pères que le montrait *Le Démantèlement* ? Ou n'y a-t-il pas, vis-à-vis de la mémoire, proche ou lointaine, une sorte de saturation ? L'espace national n'est-il pas trop empli de discours commémoratifs sans humour ? La mise en perspective ludique de l'Histoire, qui ne manque pas cependant de gravité si on la lit à un deuxième niveau, sous-tend une partie des textes de deux jeunes écrivains prometteurs, Habib Tengour et Tahar Djaout. L'un et l'autre procèdent parfois par la juxtaposition apparemment incongrue d'un passé prestigieux, avec un quotidien biographique ou autobiographique « plat ». Mais de cette incongruité-même surgira le sens. Les allusions à l'Algérie actuelle apparaissent vite derrière la relecture de la biographie d'un fondateur prestigieux : Omar Khayyam, puis Sultan Galièv chez Habib Tengour, Ibn Toumert chez Tahar Djaout. Mais aussi un regard parfois angoissé sur la solitude de l'écrivain, surtout chez Tengour, dont les deux romans se terminent par la mort du héros mythique auquel le narrateur avait souvent prêté sa voix à la première personne.

HABIB TENGOUR

Le Vieux de la Montagne (1983)

L'histoire du célèbre poète persan Omar Khayyam et de sa relation avec Hassan as-Sabbah, fondateur de la secte des Assassins, se prête bien sûr à une lecture de la relation du poète et du pouvoir, mais aussi plus globalement du poète et de l'idéologue, religieux ou laïque. En désignant le poète du XIe siècle alternativement par la troisième et la première personne, et en introduisant au début du livre sa propre biographie, Tengour provoque ce téléscopage des époques qui permettra une multiplication des registres signifiants. On se trouve encore ici au début du livre, dans un passage assez directement personnel, qui donne le « programme » du récit.

Le vieux de la Montagne sera le poème de la solitude de la lumière blanche qui prend au cœur comme un pincement apparemment sans gravité, un dégoût à éprouver le besoin de se tenir à un mur.
Défaillir n'est pas la plus terrible impression puisque tu y es préparé (...) tu as même tiré nerveusement une cigarette de ta poche et tu cherches autour de toi le passant qui te donnera du feu... ; mais comment faire avec le bien-aise du corps qui se vide... ?
Serait-ce que la quête s'achève ?
Tu n'y as rien gagné si tu escomptais quelque chose et tu demeures désemparé, désarmé, travesti comme la page vierge. Les intentions sont vaines et les attitudes futiles et les résultats dérisoires.
Tu t'occupes parce que tu te crois plus malin que beaucoup, tu réussiras certainement et tu prouveras ta valeur, alors tu dévoileras tous les mensonges. Tu seras entendu.
Mais tu sais que ce n'est pas vrai.

Te voilà fragile et fuyant comme ton édifice sans repli possible, condamné à mettre en œuvre tes rêves au lieu de les rêver.

. . . .

Pour Hassan as-Sabbah, la solitude inspirée sauve de mourir.
La rançon : l'Absolu mystique — la Rupture.
Dans le château de Alamout en ruine, il restera l'Ultime veilleur pour avoir confondu Dieu dans le vêtement déchiré.
Désert, insignifiance de l'ombre recommencée.

Omar Khayyam ne choisit rien. A Baghdad comme à Nishapoor il s'ennuie. Glissement d'objets.
C'est à Nishapoor qu'il s'enterre par entêtement.
Il y est respecté comme mathématicien et astronome ce qui flatte sa vanité de paraître.
Il aime et se sépare et aime à se séparer pour imprimer au poème cette souffrance douceâtre qu'il cache et qui l'ouvrira au Temps.

Une angoisse qu'il ne cherchera pas à affronter s'emparera de lui et il cédera à la mélancolie qui allait plus tard dévaster l'empire des Abbassides.
Déclin, le sublime se paie de son âme.
La solitude est une mise en demeure. Une habitude.

(pp. 17-18.)

TAHAR DJAOUT

L'Invention du désert (1987)

L'Invention du désert est une sorte de journal d'un écrivain chargé de raconter l'histoire de la dynastie des Almoravides[1]. La juxtaposition souvent insolite de l'Histoire prestigieuse avec la quotidienneté des voyages et de la vie présente du journaliste y produit une dérive au sein de laquelle Ibn Toumert[2] est de plus en plus étranger et qui débouche, là encore, sur l'autobiographie.

En plein Champs-Élysées, parmi des touristes nordiques et japonais, Ibn Toumert promène sa hargne dévote que le soleil de juillet rallume chaque fois qu'elle s'assoupit. Il est ébloui et multiplié, il est des milliers à la fois. Il descend à foulées nerveuses l'avenue large comme une hamada et se retrouve tout à coup face à la Maison du Danemark. Femmes blondes dénudées, offertes au désir telles des proies. La morale du monde s'est liquéfiée. L'image, réprouvée par Dieu, triomphe ici de tous les signes. L'Enfer a planté ses ténèbres en plein quotidien des hommes, dans les chatoiements polychromes qui aveuglent au lieu d'éclairer. Quelle rutilance de couleurs, d'horreurs et de tentations ! Que de femmes lâchées sur le monde comme des tigresses altérées de sang et de scandale ! Comment les peuples peuvent-ils vivre en paix avec une telle dynamite dans la rue ? Le bâton noueux d'olivier aura beau s'abattre et meurtrir, comme au

1. Dynastie berbère qui régna sur le Maghreb et l'Andalousie de la fin du XIe au début du XIIe siècle, et y diffusa l'Islam.

2. Prédicateur et chef de guerre, réformateur religieux, mort en 1130, il est à l'origine de la révolte des Almohades qui prirent le pouvoir aux Almoravides en 1147.

temps de Bejaia la Hammadide déliquescente, il n'arrivera jamais à redresser cette civilisation du péché. C'est un autre Déluge qu'il faudrait, un Déluge qui commencerait par fracasser le perfide esquif de Noé pour enrayer toute chance de salut. Car nul être, bête ou homme, ne mérite d'échapper à l'enlisement.

Dieu est sans doute décédé — à moins qu'il n'ait été lui aussi gagné à la mollesse des stupres. Mais n'a-t-il pas été plutôt détrôné par Satan qui cultive désormais en maître sur la planète des Sodome et des Gomorrhe ? Onan est réhabilité, il narre devant l'humanité ses ignominieuses prouesses. Tous les travers de l'esprit, toutes les tares de la conduite, toutes les pratiques inavouables sont ici affichés et célébrés. On leur élève des idoles comme chez les anthropomorphistes d'avant le triomphe de la Foi.

Grouillement des Champs-Élysées. Agressivité du corps dénudé par la publicité, le commerce et le spectacle. Les affiches assènent leurs coups traîtres et cuisants. *Joy, Emmanuelle* et d'autres offres plus déshabillantes. Ibn Toumert sent le doute l'entamer, il invoque la Foi préservatrice ; mais il perçoit son édifice intérieur vaciller comme une poutre pourrie sous la pression du combat qui se livre en lui, inexorable. Ibn Toumert sent sa tête s'engourdir, son corps lentement se réveiller, se hérisser d'épines sacrilèges. Il passe comme une ombre controversée, écartelée entre désir et rétention, parmi les fesses placardées et celles qui sillonnent le boulevard.

Dieu a-t-il donc abdiqué ? L'imam intemporel ne voit pas clair, il n'arrive à rétablir l'ordre ni dans sa tête ni dans ses sens. Où est passée cette force inébranlable qui l'arma et le soutint jadis contre les monarques et les bandits, contre les dévoyés de tous bords et les irréductibles impénitents ?

« Les Blancs arrivent... tremble la République » et autres graffiti de métro (car Ibn Toumert a pris le métro) n'arrivent pas à l'intéresser parce que au-dessus

de sa compréhension. *« Pour votre tranquillité, les spectacles et les quêtes sont interdits. Ne les encouragez pas. » « Les Nègres sont la honte de la France. » « Nègres, Bougnouls, Viets = Choléra. » « M. Prin, éléveur, utilise Pal. »*

Bruits furieux de mille activités et mouvements. Ibn Toumert ne porte pas de walkman.

Métro anonyme où s'insinue un semblant de fraîcheur comme lorsque la nuit de janvier descend lentement sur le désert. Entrailles sombres de la ville libertaire, face voilée où interfèrent les différences. Turc. Arabe. Berbère. Laotien. Les langues se délient dans la pénombre.

Et Ibn Toumert, éperdu, se mit à psalmodier une sourate qui l'amende. (pp. 50-52.)

JAMEL EDDINE BENCHEIKH

Quatre offrandes de rive à rive (1985)

> L'offrande finale de Shahrazad, le poète enfin la fera au conteur, pour que la parole à venir surgisse, par la mémoire, de la solitude indéchiffrable de la Reine.

à Nacer Khemir
Chant pour un conte à venir

1. Reine déshabillée de nom,
Les Nuits ouvrent ton corps
Le poignard tranche la parole qui tenait
L'aube à portée de lèvre.
Le sang déchire nos certitudes.

2. Reine assassinée de désir,
Pour toi le conteur aveugle arrose
Le basilic.
Quel sable silencieux lacère tes veines ?
Le ballet voilé dessine la mort
Autour d'une vasque.
Tu lèves le visage vers l'est,
Un faucon jailli du soleil encercle ta solitude.

3. Shahrazad gardienne d'horizon
Tend la rose sourcière
Vers la nostalgie des métamorphoses.

4. Shahrazad dévide son poème fragile
De sœur amante.
Le givre aux pupilles,
Elle conte le malheur où neigent des silences,
L'enfant-mage assis très sage à ses genoux
Qui devine l'oiseau au seul chant de la plume.

5. Shahrazad harassée boit sa rasade amère
Et défait grain à grain le collier de la vierge.
Ah ! mer entrouverte,
Dix mille vies mille merveilles
Pour chaque aurore prolongée.
Le rêve sonde le gouffre
Tandis que naît l'arc-en-ciel
Indéchiffrable.

. . . .

Extrait de *Peuples méditerranéens*,
Paris, n° 30, janv.-mars 1985, pp. 5-6.

2

Gloire et tragique de la parole : l'œuvre de maturité de Mohammed Dib

Mohammed Dib est avec Kateb Yacine le plus grand écrivain algérien. Mais son œuvre est plus secrète, plus inquiète, à l'écoute toujours plus exigeante de cet autre côté de la vie, de la parole, de l'amour, autre côté où se forge et se perd toute la vie comme toute création. C'est pourquoi les lectures idéologiques qui réduisent cette œuvre à un soi-disant réalisme de sa première trilogie manquent l'essentiel : cette mise en question constante des pouvoirs de la parole, pouvoirs dont nous tirons notre être, notre nomination par le poète, ou par l'amour. Le sens peut-il être donné quelque part sans aussitôt se perdre ? Toute parole n'est-elle pas un vain simulacre ? La seule vérité n'est-elle pas celle de la folie où choisit de s'engager Habel, ou de l'absence dans laquelle sombre le héros des *Terrasses d'Orsol* ? Ou ce « rien », seule réponse à la quête mystique des Mendiants de Dieu dans *Le Maître de chasse* ? La mission du poète n'est-elle pas depuis toujours d'être le gardien de la mort, face à laquelle il énonce sans fin cette « écriture du désastre », pour reprendre l'expression de Blanchot, qui ne peut dire l'être qu'au prix de sa perte ?

La grandeur de Dib n'est donc pas dans cet

« humanisme » ou cette « sérénité » que cherchent obstinément chez lui certains critiques. Ou alors sa sérénité, bien réelle, est-elle à chercher dans un autre côté de cette « rive sauvage » sur laquelle s'énonce vertigineusement une écriture hagarde. On la trouvait déjà, en ce sens, dans cette « souvenance » pensive et silencieuse par laquelle se terminait *Qui se souvient de la mer*, dans un autre côté du sens bien énigmatique. On la retrouvera ici dans le rire fou de Hellé, au-delà de toute signification, comme dans l'hébétude finale du héros des *Terrasses d'Orsol* ou dans l'extrême concision de certains poèmes.

MOHAMMED DIB

Cours sur la rive sauvage (1964)

Après un long itinéraire initiatique en quête de son épouse Radia, qui est à la fois personnage et symbole de la signification mystique recherchée, Iven Zohar s'est embarqué enfin pour l'ultime Cité-Nova. Mais sur cette barque soudain Radia a été supplantée par son double et son envers Hellé. C'est la fin du roman, qui récuse toute arrivée, y compris dans son propre récit puisque le rire final de Hellé, outre l'absence de signification, désigne aussi le jeu de mots qui précède, lequel renvoie à son tour au titre du roman.

La ville flamboyait pour un hôte arrivé trop tard. Dans un suprême effort de lucidité, j'ai entrevu la vérité : elle existe ailleurs. Un ailleurs dont les murs, les portes que voici, sont autant de frontières, autant de remparts infranchissables. Je suis dans la cité-Hellé.

« Hellé ! me suis-je mis à crier à la cantonade.

— Hellé ! » m'a répondu un âpre rire.

Puis, tel un cillement, un brusque éclat a attisé la ville, et la lumière étourdissante qui a submergé les rues s'est resserrée sur moi. Comment lutter contre la lumière ? Quelle pitié espérer d'elle ? L'aimer follement. S'offrir à elle.

Les murs se sont enroulés et rapprochés, vibrant impétueusement, resplendissant. Ils ont fini par composer un symbole, ou ce que je crois en être un ; figure, parole incertaine, qui semblait vouloir m'apprendre ceci :

« Tes yeux voient l'écriture de l'amour. C'est le sceau à jamais fermé, le lieu à jamais interdit. Tes yeux voient l'écriture de la mort. »

Depuis, je n'ai cessé d'être en observation, je n'ai cessé de subir un examen. C'est toujours le même, d'une espèce particulière, qui ne laisse pas de l'apparenter à celui des chambres de supplice. Depuis, le symbole de la cité-Hellé est resté sans relâche fixé sur moi ainsi qu'un regard. Je n'avais pas entendu, avant cela, langage proclamer avec autant d'intensité. Mais la vie n'est pas toujours notre vie, elle est sommeil succinct dans les schistes, dissolution dans les eaux ; immobilité et écoulement ; nuit. Il doit en être ainsi, de toute nécessité. — En sécurité pourtant, me voici en sécurité. Aspergé de ce sang qui s'écoule de ma poitrine, de mes lèvres, de mes yeux, sang dont j'ai le goût à la bouche, l'odeur aux narines, je t'appelle parfois, Hellé, et ne reçois jamais de réponse.

Il n'y a pas de réponse. Mais il y a une autre vie. Au-dedans de moi, elle s'étire, tendre pellicule, recouvrant un printemps en train de reverdir. Je vais déboucher sur le paysage qui veille derrière tous les autres ; il chemine à travers toi, Hellé. Je te dédie cette dernière pensée. Combien de temps m'aura-t-il fallu pour aller de Radia à toi !

— Qui, sur la rive sauvage, qui parle de cours du temps !

Le rire fou de Hellé s'est répercuté d'un bord à l'autre du monde. (pp. 157-159 - fin du roman.)

La Danse du roi (1968)

On a vu comme *La Danse du roi* est en partie le roman de l'impossibilité de raconter la guerre à travers la situation dérisoire des deux récits alternés de Rodwan et d'Arfia dans une Cité nouvelle qui n'a que faire de sa mémoire. Or, cette solitude des deux narrateurs repose chez l'un et l'autre sur une familiarité hallucinée avec la mort, indicible dans leur récit, et pourtant sa condition même. Et toute parole est trahison, qui s'enracine pour Rodwan dans un visage d'ombre toujours fuyant, ou dans « cet épouvantable amour qui ne peut aimer, et son mutisme ». La parole est aussi pour Rodwan cette « autre voie » que la plupart des personnages de Dib (comme chacun de nous, s'il veut bien l'écouter ?) entendent en eux. Tenter d'en capter l'origine inéclaircie n'est-il pas le geste même de la perte — et de la création ?

Si parfait était le calme du paysage que Rodwan entendait en lui-même, assis le dos à la noirceur, à l'impalpable brume, le col de sa veste relevé. Il recueillait sur son visage profond le toucher de la lumière — la lumière, mais aussi son silence et son calme affranchis de l'heure, échappant à toute notion d'espace, vivant néanmoins, et affluant sans trêve, caressant la campagne détachée des ténèbres et fantomatique. Et passait ainsi la crue. Mais, passant, roulaient-elles entre ses rives à lui, ces triples eaux, réunies... *« par inadvertance ? »*... et séparées : l'éclairage, la voix, le silence ? Lui recréaient-elles la vision propre à capter le visage d'ombre d'où s'écoulait le discours, l'écoute propre à identifier la parole ressassant ici et ailleurs l'épouvantable amour qui ne peut aimer, et son mutisme ? Ou n'était-il pas plutôt, seul, tout ensemble la contrée de suie et ce bouillonnement qui en battait les berges ? Cela aussi, il était indispensable de le savoir. Ses yeux avalaient l'impétueuse luminosité dans cet espoir, et l'impossible détermination, conçue sans la moindre erreur à l'instigation de cette voix, montait en lui, et, en montant, farouche, suspendait le cours du temps. Il lui fallait ici et maintenant, et Rodwan n'ignorait pas ce qui l'y poussait, plonger dans les sources de ténèbres et surprendre cette parole à son véritable point d'émission, non sur un visage, mais à son origine inéclaircie, plus oubliée que l'oubli, et dont rôdaient et criaient en lui une nostalgie, un amour et une haine à côté desquels la mort qui unit elle aussi le commencement et la fin est plus douce, plus charitable. Il descendait. Sur le grand métier de la nuit, la terre ourdissait, blancs et sourds, les voiles de brume qu'elle balançait autour du cercle de lumière sans qu'on pût deviner si elle voulait en disperser ou défendre le mystère. (pp. 51-52.)

Formulaires (1970)

Si Dib est connu pour ses romans, il n'en est pas moins d'abord poète. C'est dans sa poésie qu'il avoue mettre la part la plus dense et la plus secrète de son inspiration. Et sa poésie est aussi sa « nomination » la plus éclatante de la gloire réunie de la parole et de l'amour, comme de leur tragique. D'ailleurs avant même *La Grande Maison*, Dib avait écrit un certain nombre de poèmes assez mallarméens, dont le plus connu est « Vega ». *Formulaires* n'est pas le premier recueil de poèmes de Dib, qui avait publié dans *Ombre gardienne* en 1961 des textes parfois antérieurs à ses romans. La dernière partie du recueil, intitulée « Les Pouvoirs », est comme son titre l'indique une exploration, puis une illustration de ce questionnement sur la parole dans lequel à chaque fois « une vie d'homme est en jeu ».

Les Pouvoirs

I

langage souverain incompatible secret noyé dans l'écorchure universelle que ma vie s'y perde y vive sans justification qu'une muraille de ténèbres se referme sur elle et sourde muette nul médiateur ne puisse la faire entendre parole qui creuse un espace vide (p. 75.)

25

pourquoi détresse viennent-elles
toutes ces figures de pierre
crier à l'envi sur la mer

pourquoi font-elles brusquement
le monde se tourner ailleurs
s'embraser d'une noire absence

et vite ensuite gargouiller
dans un reflux d'eau d'air de feu
un seul murmure de lumière

ces ombres rapaces et folles
la mer qui remue un jour vide
entend-elle parfois leurs cris

(p. 100.)

29

voyageuse avec les oiseaux
porte mon corps dissous mon ombre
dans une clairière diurne
éclairée de mille délires

dans une clairière diurne
un territoire de hasard
un tremblement léger de feuilles
ou un feu dispersé au vent

et l'autre flamme qui rassemble
une architecture de brume
loin sur les vagues de la mer
m'accueillera peut-être un jour

(p. 104.)

32

le visage presque humain
attendant entre les clous
gelé sous un feu immense

et s'alimentant d'espace
dormant sur sa bouche saignante
gardant l'immobilité

de loin d'encore plus loin

(p. 107 - dernier poème du recueil.)

Le Maître de chasse (1973)

Tournant le dos à la Cité nouvelle que tente de construire Kamal Waëd, les Mendiants de Dieu, sous la conduite de Hakim Madjar, sont partis en quête d'une réponse dans le village le plus misérable, le plus reculé, le plus semblable à la rocaille de ce pays, avec laquelle il se confond. Mais peut-il y avoir une réponse donnée dans les mots ? Déjà, les chapitres du roman sont successivement « dits » par un des personnages, avec annonce du locuteur. Et puis à qui s'adressent ces récits silencieux que l'indication de leur locuteur isole ainsi de tout dialogue ? D'ailleurs les Ouled Salem, dont Tijani est un peu le porte-parole, ont refusé l'aide (trouver un point d'eau) que leur proposaient les Mendiants de Dieu. Car agir, parler, sont déjà offense. Qui est, alors, cet « interlocuteur pour lequel je me suis dépouillé de mon visage, de ma parole et de mon regard » ? Est-ce le « Maître de chasse » ? Mais là encore, peut-on répondre ? Contentons-nous de signaler que très souvent dans la poésie de Dib, et particulièrement dans *Omneros*, les métaphores cynégétiques désignent en partie la poursuite toujours vaine du réel par le langage...

Tijani dit :

Je vous vois vous promener de place en place, visiteurs. Votre regard croise le nôtre et vole aussitôt ailleurs. Il a l'air d'exiger une réponse de la source aveugle, tarie, de ce pays. Ne cherchez pas ; la réponse, c'est l'Autre qui la fournira. Et peu importe qu'il le fasse avec franchise ou non. Ce n'est pas nous, certainement aucun de nous. Nous, nous sommes assis au milieu du désert sans autre richesse que notre peau. A quoi faut-il donc s'attendre ? Que le monde reparte du premier sable. Sinon quoi ? Que pourrait-on espérer d'autre ? Et s'il ne le fait pas, qui le sauvera ? Il finit ici, recru de lassitude et de savoir, de douleur et de mensonge. Dans le sable.

Je ne suis moi-même qu'un étranger. Ma parole se forme dans une région lointaine. Je ne suis qu'un étranger menacé. Je vous vois, comme vous êtes assis maintenant dans une faille d'ombre ouverte dans ce jour par la montagne. Aussi étrangers que moi. Je vois comme la lumière se déverse autour de vous. Un liquide enflammé. Elle encercle chaque rocher, chaque objet d'un trait de feu blanc. Toute vie, toute œuvre d'homme ne sont que signes sur le sable.

Vous avez mangé le peu de choses que vous avez apportées. Du pain, des tomates, des fruits. Mais nous avons refusé la part que vous avez voulu nous en offrir. Vous avez accepté ce que nous vous avons proposé pourtant, cette galette d'orge, qui a été aussi, accompagnée d'olives noires, notre repas.

On peut toujours parler. Votre figure, vos mots, ni votre regard ne sont votre figure, vos mots, votre regard. Ils vous entraîneraient aux dernières extrémités s'ils devaient l'être. C'est l'Autre, et il attend toujours son moment. Mais il n'existe plus d'endroit où se comprendre sans mots, où se rencontrer et pouvoir parler sans mots. Et si chacun doit chercher cette place, la place de chacun n'est pas là où il se trouve ? Est-ce une nouveauté ? Et pourquoi ce serait une nouveauté ? Qu'avons-nous à en faire ? Cette lumière emprisonne bien, elle, chaque chose en elle-même et en fait la chose qu'elle doit être.

Je m'entretiens avec un interlocuteur pour lequel je me suis dépouillé de mon visage, de ma parole et de mon regard. Les réponses, les appréciations, c'est lui qui les donne. Il dit : je ne tirerai pas le monde de son erreur.

C'est pourquoi nous ne guignons pas votre place. Plutôt la mort.

Que dit-on de ça ? Une question qui, vous le comprenez tous, s'adresse exclusivement à lui — qui s'est nommé Madjar. Je le surveille depuis un moment avec la même adresse de regard que nous avons tous pour vous regarder.

Il réfléchit. C'est bien. Réfléchis, l'ami. Et maintenant ?

« Rien, dis-tu, rien. »

Je réponds :

« La paix soit avec toi. »

Rien. Voilà qui me met en joie. Une réponse se réduisant au mot rien, il y a de quoi être comblé. Je m'en tiens là, moi aussi, je n'ajoute pas autre chose. La parole est maintenant à la pupille du jour dilatée sur ces montagnes. Elle est au vent et à la lumière qui balaient leur solitude, elle est à l'après-midi qui ne passe plus. (pp. 72-73.)

Omneros (1975)

Comme toute la poésie de Dib, *Omneros* est d'abord célébration de l'amour et de la mort, les deux faces complémentaires d'Eros. Car « le côté le plus clair de la vie, le côté perceptible », dit l'auteur dans la présentation du recueil, « est certainement le plus obscur. Il n'est que l'ombre portée d'Eros, il n'est, et nous en lui, que le projet d'Eros même dans les instances où il ne le semble guère ». Mais ce jeu sur l'endroit et l'envers du réel n'est-il pas celui auquel l'auteur nous a habitués dans toute sa réflexion sur les pouvoirs de la parole ? Aussi ne serons-nous pas étonnés de voir la plupart des parties du recueil (« eros crypte », « eros mer », « eros-lude », « omneros », « thanateros », mais non « eros terre » ni « plus noir eros », qui clôt le recueil dans une progression depuis la célébration du corps de la femme jusqu'à un voyage ultime dans l'au-delà de la mort même) être suivies d'une « parabase » en italiques où le poète met en quelque sorte à distance son propre texte en développant en parallèle une autre voix. Et en même temps Dib souligne ainsi une des nombreuses traditions littéraires auxquelles il a souvent recours.

Eros terre

10

corps à cris

louve en un creux de désir
toute entre ces bras recluse
qui ne cesse d'user d'ongles

plainte aux lointaines urgences
toute d'une conque éprise
qui ne cesse de s'étendre

ombreuse ombelle aux lisières
qui ne prend pour protection
qu'une chaleur d'incendie

(p. 59.)

Eroslude

6

de forlonge

mais entre tout ce qui chasse
et conduit l'instance

avec fusils clameurs hallalis

la fable sait elle
où le corps de la dormeuse
s'achève dans un souffle

(p. 70.)

Plus noir eros

7

bords de feu

comme fleurit l'enfance
entre les mains d'une nuit écarlate
l'aurore rescapée d'un drap
fait face à la mort

(p. 149 - dernier poème du recueil.)

Habel (1977)

Habel a été exilé par son frère, « vendu comme esclave pour s'approprier le sceptre et régner sur cette Cité ». Mais à Paris il revient dix soirs de suite attendre la mort à un carrefour où il a croisé son regard de méduse[1]. Et c'est là qu'il rencontre l'écrivain-Dame de la Merci[2] qui le prostitue, ou encore Lily dont il va rejoindre la folie. Or, Lily, la Dame de la Merci et la mort elle-même sont parfois interchangeables, car la perte infinie que toutes trois représentent se confond à son tour avec le pouvoir de dire de l'écrivain, qui retourne l'exil. Cependant Habel ne s'est-il pas identifié, en se nommant lui-même

1. L'une des Gorgones. Son regard pétrifiait qui la fixait. Elle fut tuée par Persée.
2. L'ordre religieux chrétien de la Merci fut fondé au XIIIe siècle pour racheter les captifs des Maures. Le personnage joue ici sur les inversions, sexuelle et politique.

Ismaël[3], avec cet individu rossé à mort dans les toilettes d'un café, ou ce jeune homme à l'autocastration spectaculaire de qui la Dame de la Merci l'a emmené assister ?

Ces violences peuvent être lues sous le seul angle socio-politique, comme une symbolisation de la ville et de l'émigration. Mais l'intérêt ici est qu'elles sont une sorte de matérialisation de cet au-delà de l'écriture, de cette « bouche d'ombre d'où s'écoulait le discours », qu'on a déjà cherchés dans *La Danse du roi*, où se trouvait une apparition du roi de la mort (pp. 103-105) comparable à celle de l'Ange, qu'on va lire. Or, l'Ange de la Mort confie à Habel la mission de « donner à chaque chose précisément un nom » : l'écriture est-elle générée par la mort, ou par la violence de cette ville qui ouvre devant Habel son vide vertigineux ?

Il n'a pas osé le faire avant mais maintenant il lève la tête. Longues perles liquides, des centaines, des milliers de ces gouttes strient l'opacité nocturne devant lui. Arrivant au foyer ardent où la ville est couchée, elles y fondent, aussitôt bues par le souffle de clarté. Mais d'autres les suivent et continuent à rayer tranquillement l'air, à suspendre le même rideau brillant. Puis ayant levé les yeux encore un peu plus haut, il les voit se détacher d'un essaim d'oiseaux habillés de cheveux rouges.

Vibrante, vivante, tiède, soyeuse, cette toison elle-même est une caresse pour la vue qu'elle comble de sa douceur. Mais tout en emplissant l'espace d'une chute statique et sans que rien ne le laisse prévoir, cette douceur elle-même révèle une figure. Une très grande figure drapée dans son plumage couleur safran comme dans une fourrure de feu et qui, sitôt apparue, se couvre d'yeux et dans le même temps commence à se modifier. Commence ? Elle n'a jamais commencé. D'évidence elle s'est toujours muée ainsi en elle-même, réalité toujours pareille sous ses myriades d'yeux.

1. Fils d'Abraham et d'Agar. Renvoyé avec sa mère à la naissance d'Isaac. Il est l'ancêtre des bédouins.

Habel pense instantanément : Israfîl[1].

Cependant il ne tarde pas à remarquer les chaînes qui chargent l'apparition et il comprend qu'il n'est pas devant Israfîl.

Il s'entend alors crier :

« Les soixante-dix mille chaînes qui attachent Azraïl, l'ange de la mort ! »

L'ange que les autres anges n'approchent pas, l'ange que les autres anges n'entendent pas, l'ange dont les autres anges ne connaissent pas le lieu, l'ange à qui Dieu, lorsqu'il créa la mort, la donna comme servante.

Mais Habel oublie son angoisse.

« Pourquoi Azraïl, ange de la mort, te dévoiles-tu à moi ? »

Suit un moment du silence éternel.

« Pourquoi m'apparais-tu, Azraïl ? »

Là-dessus Habel est assailli par une voix qui fuse de partout, de tous les coins de l'horizon, et elle est comme un tonnerre si massif, si puissant et insupportable qu'il parvient à peine à rester conscient :

« Moi aussi je demandai au Seigneur au temps où il me fallut recevoir ma mission : Seigneur, pourquoi te manifestes-tu à moi ? »

Un autre moment du silence éternel s'étend.

Puis le même abîme reprend la parole, clame :

« Moi aussi, lorsque Dieu dit : "Tu vas être le gardien de la mort" je demandai : "Seigneur, qu'est-ce que la mort ?" »

Puis la même voix se récrie sans frein :

« La mort aussi, quand le Seigneur me donna la force et que je la pris dans ma main, demanda : "Qu'est-ce que je suis ?" Elle aussi appela dans les cieux : "Seigneur, pourquoi dois-je avoir un gardien ?" »

Puis l'ange s'évanouit au-dessus de Paris, qui n'est plus qu'un gouffre ouvert par une bombe silencieuse.

1. Ange du jugement dernier.

Seul devant ce vide vertigineux, seul Habel demeure, seul au sein de cette solitude sépulcrale et de son froid. Il s'inquiète encore, sans s'inquiéter, de savoir si l'ange qui lui a parlé lui avait donné une réponse, et s'il lui avait répondu, quelle a pu être sa réponse.

A ce moment se profile comme au fond de l'infini un objet en quoi il reconnaît très vite un corps. Dans l'éloignement, un corps minuscule couché, mais nettement découpé, un gisant en réduction entouré d'une luminosité sourde. Et, objet, corps ou gisant, ça ne met guère de temps à grandir. Ça augmente de volume plus rapidement même que la lumière déployée en halo qui semble l'avoir engendré et qui paraît maintenant le transporter.

Et c'est là. Ça s'allonge d'un coup aux pieds d'Habel. Et c'est le drôle d'individu qu'il avait vu, plusieurs semaines auparavant, se faire rosser à mort dans les toilettes d'un café : lui, tel qu'il l'avait abandonné, vautré dans l'eau dégoulinante, le nez dans les vomissures. Mais c'est Habel aussi. Il se voit — dans un fulgurant accès de lucidité — lui-même, il se découvre lui-même étendu à la place du type. A sa place ? Il n'y a jamais eu personne d'autre, que lui Habel, à cette place ! Lui. Lui. Lui. Et personne d'autre. Il s'appelle Habel et il est étalé dans des chiottes. Il avait dit que son nom était Ismaël et il est effondré dans de la pisse. Il avait dit ça — que n'avait-il pas dit — et les anonymes défécations d'une métropole l'entourent et le prennent à la gorge sous des guirlandes de graffiti obscènes. C'est la réponse de l'ange ? (pp. 132-134.)

Feu, beau feu (1979)

Ce recueil poétique est à nouveau célébration de l'amour, à la fois gloire des sens, et « porte ouverte sur l'abîme ». Il s'agit bien, nous dit l'auteur lui-même, « d'une exploration dont naturellement il ne voit jamais la fin, car plus il poursuit l'image de l'autre, et plus il espère, par une impossible conjonction, y distinguer ses propres traits ». « Et comme toujours, quand tout est dit, rien n'est encore dit. »

Natyk au beau feu

signe à vie

miroir je m'ouvre
route je me borde
de bois vert

je cherche
l'œil qui me nomme
accueille-moi

femme en sa rougeur
je comblerai la distance
entre tes bras

(p. 64.)

Dans la parole défrayée

6

poursuivre au gré des chances l'écriture dont le chemin court au ras du corps la ramener comme titre de bonté à la source de tout mal puis au régime infrangible des aigles par-delà chaque tentation de retour ou convention de la craie
la perdre la retrouver au gré de la fable

(p. 94.)

Airs à toute fin

parce qu'elle tombe
cette goutte de sang

parce qu'elle sépare
le temps en deux

la neige cache
son visage dans un cri

(p. 172.)

Les Terrasses d'Orsol (1985)

Envoyé (mais l'est-il vraiment ?) d'Orsol à Jarbher, opulente cité qu'on suppose du nord de l'Europe, Eïd a longtemps enquêté sur l'indicible de cette société idéale : une fosse où sont relégués des êtres mystérieux... Ce n'est que lorsqu'il aura accepté d'abandonner sa quête d'autant plus vaine, peut-être, que la réponse pouvait sembler évidente (p. 176 : « Bien sûr ! De quoi est-il question depuis le début si ce n'est de ça, et seulement de ça : les pauvres de toutes parts qui rachètent le monde, et nous n'avons eu ni la possibilité d'écarter la question, ni la possibilité de lui échapper »), qu'il sortira de Jarbher et rencontrera l'amour lors d'une excursion dans une île proche. Mais l'amour existe-t-il vraiment ? Et comment faut-il comprendre l'hébétude finale d'Eïd devenu Ed lorsque recueilli enfin par Aëlle après avoir été laissé pour mort par un ballet infernal de motocyclistes dans la ville nocturne, il lui annonce (et ce sera la fin du roman) :

« Vous savez quoi, mademoiselle ? Dès que je serai sorti d'ici, j'irai m'installer à Jarbher. (...) Je retrouverai Aëlle aussi.

— Ed, tu es à Jarbher. Je suis Aëlle.

— Aëlle. Ah, Aëlle... Elle est là-bas, à Jarbher. » (p. 214.)

Mais pour l'instant nous sommes sur l'île, peu après leur rencontre sur la barque.

Tombée soudain aussi avec la nuit, la fraîcheur est telle qu'Aëlle a dû passer mon pull, il fait calme. Pas de vent, le vent reprend son souffle en ce moment, il doit dormir quelque part, se remettre de sa danse folle du matin. Nous ne quittons pas du regard, fascinés, le pont de lumière tendu sur cette eau elle aussi endormie et je me demande ce qu'on découvrirait au bout si on le franchissait. La réponse me vient spontanément : « Je découvrirais, moi, en train de m'attendre, celle qui est blottie à mes côtés. De m'attendre et de sourire comme je n'ai vu personne d'autre le faire, en répandant toute l'aurore de ses yeux en pensées et en rêves. » Une odeur de lilas passe à proximité, quelqu'un parle bas, près, ou loin ailleurs. Là où je me trouve, j'ai cette impression maintenant : quelqu'un parle, près ou loin, je ne sais jamais. C'est l'océan pour l'instant, il demande ce qu'il ne faut pas demander, des questions ressassées, que je porte déjà en moi (les entends-tu, Aëlle ?). Il s'entête à les poser et elles n'ont pas à l'être, surtout en un moment comme celui-ci, où je suis tourné vers Aëlle, où je l'écoute parler, où c'est l'eau saturée de lune verte de ses yeux, adamantine et aussi loin qu'on puisse y voir, qui est la question, quand bien même elle ne pose pas de questions, et elle n'en a posé aucune depuis que notre dialogue a repris, notre dialogue avec Aëlle qui, je l'ai déjà constaté, ne s'est jamais interrompu et se serait poursuivi sous des montagnes de silence maintenant et... (Mais toi, Aëlle, qu'en est-il pour toi ?) Et la même question continue à se poser, la même, obstinément, sans égards pour celles de l'océan, question que je porte déjà en moi (l'entends-tu, Aëlle ?), sans égards pour celles des autres, pierres sans douleur chues au fond de moi ou qui se contentent simplement de choir, aussi bien je ne les entends pas même quand c'est toi qui les poses, Aëlle, ou seulement comme un grignotis de l'autre côté du mur, du côté où tu restes, séparée, le côté où j'ai toujours l'impression que quelqu'un parle tout bas. Mais ça ne me fait pas mal, ça ne me fait pas mal du tout, tu es de l'autre côté du mur, tu es de l'autre côté, qu'y faire. Et en même temps je te vois, je vois comme tu remues les lèvres ; donc tu parles serrée contre moi, dans le pull que je t'ai fait mettre, un pull jaune constellé d'étoiles noires, et ça ne me fait pas plus mal. (Suis-je en train d'échanger une folie contre une autre, Aëlle, ou c'est toi qui vas me faciliter le passage ?) Nous ne sommes peut-être pas aussi loin l'un de l'autre qu'il semble, il n'y a que ce mur pour nous séparer, et c'est toi qui seras (peut-être) la porte par laquelle j'entrerai là où il faut que j'entre, là où je dois être, — ou bien notre étoile est une belle étoile noire ? Soudain j'entends les mots qui sortent de ma bouche, je te dis : “C'est tout ou rien.” » (pp. 147-149.)

Ô Vive (1987)

« Parole, eau, femme qui fait le vide autour d'elle, et le fait plus vide encore pour mieux nous atteindre, mieux nous aimer et combler notre soif » : Tel est le programme de ce dernier recueil, où Dib développe sa glorification de la femme et du corps féminin, laquelle semble devenir plus directe depuis *Feu, beau feu*, en même temps que les romans quant à eux dégagent une inquiétude plus grande ? Pourtant la neige dans *Feu, beau feu*, la « grande aile blanche dernière » dans *Ô Vive* sont là pour nous rappeler que la gloire la plus grande est celle qui ne vit que dans sa consumation et sa perte.

qui a nom vive

corps inépuisable gloire

à l'enfourchure
accumulée d'abord

puis rade épanchée
rade occupée

puis rousseur
sable au repos

puis œil
azuré par la flamme

œil aux lointains
empruntant sa nostalgie

(p. 17.)

DITES A LA MER

privilège du vivant

le visage
comme halte

l'écartèlement
entre tant de rives

et la grande aile blanche
dernière

(p. 88.)

HYMNOLOGOS

en ferveur vive

plus vive dit *Vive*
tu m'élèves en flamme

plus haut j'établirai
floraisons et ramages

mais si de soif tu brûles
neige couche-moi

pur sein à tes pieds
j'encourrai l'agonie

et de son seul sourire
la blancheur que je suis

pour toi improvisera
une enfance nue

(p. 105.)

3

Le retour du réel et du récit

Les années 80 voient se multiplier les nouveaux écrivains et se diversifier les éditeurs. Est-ce le signe d'une reconnaissance par l'institution littéraire ?

Cette diversité est telle qu'il devient de plus en plus difficile d'en rendre compte globalement. Et puis faut-il, ou non, parler de la nouvelle littérature de la « 2e génération de l'émigration », laquelle exhibe la difficulté de l'assimiler à la littérature algérienne, ou maghrébine ?

Quoi qu'il en soit on constate chez beaucoup de ces écrivains un retour à un modèle de récit plus traditionnel, et descriptif. Comme si on assistait à une sorte de seconde naissance d'une littérature se réclamant du réel vécu : celui du souvenir, ou celui de la quotidienneté présente, que parfois on ne se prive pas de stigmatiser directement.

ALI BOUMAHDI

Le Village des asphodèles (1970)

Lorsque Ali Boumahdi publia *Le Village des asphodèles*, cette description très bien menée de l'univers traditionnel de son enfance passa injustement inaperçue : la mode n'était plus au roman « ethnographique », contre lequel se développait au contraire tout un discours idéologique. Et son éditeur n'était pas « spécialisé ». Le roman est pourtant très agréable, et volontiers poétique, comme en témoigne ce passage : le narrateur, qui a accompagné sa mère chez des proches, revient à l'improviste, de nuit, à la maison paternelle.

Je fus tellement frappé de stupeur que je m'arrêtai de respirer. En face de moi, se tenaient deux formes humaines presque immobiles. Je ramenai lentement ma tête derrière la cheminée et respirai à petits coups. Les battements de mon cœur parvenaient distinctement à mes oreilles. Ayant réussi à contrôler mon émotion, je relevai la tête. Les deux formes immobiles étaient toujours là. Je reconnus mon père, légèrement en retrait, adossé au mur blanc du patio. A côté de lui, une femme était assise. Sur sa poitrine, des bijoux étincelaient. De la clarté lunaire qui tombait sur le couple, seules les deux têtes émergeaient distinctement, comme celles de deux statues. Puis la femme se leva silencieusement, traversa la cour et disparut à l'intérieur. L'éclat des colliers d'or se reflétait sur son cou, long et gracieux. Les deux nattes brunes tranchaient sur le métal précieux et se confondaient presque avec l'ombre de la nuit. La démarche était fière, aisée, libre et pleine de charme. Je reconnus Aziza et les bijoux que ma mère n'avait jamais portés. Mon père la suivit et ferma la porte de la cuisine.

Je passai le restant de la nuit à marcher le long des rues désertes jusqu'au matin. De plus en plus, la vision des deux statues, assises l'une à côté de l'autre, dans une attitude tellement étrange, belle et troublante, s'imposait à mon esprit et pénétrait au plus profond de moi-même. De temps en temps, la fraîcheur de la nuit me faisait tressaillir et, en un éclair, les deux statues s'illuminaient en moi, comme des statues d'or. (pp. 274-275.)

L'Homme-cigogne du Titteri (1987)

L'Homme-cigogne du Titteri décrit malicieusement les travers de l'Algérie indépendante à travers la fable d'un paysan qui, en récupérant de vieilles pierres, a peu à peu transformé sa maison en tour dominant les quartiers anciens de Médéa. Mais voici qu'il déclenche un incendie...

La ville de Médéa venait tout juste de recevoir cette pompe, livrée gracieusement par un pays de l'Est. Il avait fallu trois interprètes pour en expliquer le fonctionnement. Le Tchèque s'était adressé à l'Allemand qui s'était tourné vers le Français, lequel avait traduit les explications aux pompiers réunis pour l'occasion. Tout le monde avait eu l'air de suivre le maniement des différents boutons et leviers. Le Tchèque avait donc suggéré à l'Allemand, qui l'avait suggéré au Français, qui l'avait suggéré au chef des pompiers, Si Moktar, de procéder à un essai en simulant un incendie. Mais Si Moktar avait toujours remis cet exercice sous prétexte d'un mariage, d'un enterrement, de ceci et de cela. Ses camarades ne semblaient pas plus pressés de faire fonctionner la formidable machine. Mais ils l'astiquaient. Elle brillait comme une grenade.

Dès que l'alerte fut donnée, la puissante pompe à incendie fit plusieurs fois le tour de la ville, empruntant les avenues. Quand on sut que le feu avait pris au cœur de la médina, il fallut s'engager dans les ruelles étroites. La pompe se retrouva bloquée par les charrettes de marchands des quatre-saisons, puis coincée dans une impasse, enfin entre des murs qui la serraient de trop près. On dut faire marche arrière.

C'est alors que Si Moktar se rappela qu'il y avait une voie plus large au nord de la ville. Il donna aussitôt l'ordre de contourner Médéa par le sud et d'arriver par la route du Nador.

Pendant ce temps, la police intervenait. C'était toute une affaire d'obliger les paysans à reculer. Ils voulaient éteindre le feu avec des branches et des seaux d'eau...

Enfin, la pompe tchèque parvint aux maisons sinistrées. On déroula à toute vitesse le tuyau vers la bouche d'incendie de la médina. On se crut sauvé. Hélas ! il n'y avait qu'une seule bouche à incendie. Les maisons étaient trop éloignées, le tuyau trop court. Soit on arrosait dans le vide, soit on n'avait pas d'eau.

Il ne resta bientôt plus qu'une solution : mettre en action l'extincteur géant qui équipait la machine. Si Moktar assura qu'en quelques minutes l'incendie serait jugulé. Il donna l'ordre à un pompier de pointer la lance dans la bonne direction et demanda aux autres d'envoyer la mousse blanche. Mais, dans la confusion qui régnait, plus personne ne se souvenait de la manœuvre. Les paysans commençaient à sourire, si Moktar à s'énerver, les pompiers à s'affoler.

« Bande d'incapables, cria Si Moktar pour ne pas perdre la face. Au lieu de vous disputer pour savoir si la pompe était yougoslave, tchèque ou roumaine, vous auriez mieux fait d'apprendre à vous en servir ! »

On commençait à plaisanter autour de lui. Vexé, le chef pompier planta là son second et se dirigea vers la machine. Le second demeura seul à subir les sarcasmes de la foule. Il tint bon quelques minutes, puis, las d'attendre, il déposa la lance sur le sol et disparut lui aussi derrière la pompe.

Soudain, la lance se redressa comme un cobra et commença à virevolter dans tous les sens, aspergeant de mousse blanche paysans, pompiers et policiers. Impossible de l'attraper, elle était aussi insaisissable qu'un furet ! Si Moktar en tête, les pompiers couraient, tantôt à droite, tantôt à gauche, mais la lance leur échappait chaque fois qu'ils croyaient la tenir. Ils avaient de la mousse plein leur uniforme et sur leur casque étincelant. La foule des paysans riait aux larmes en se tenant les côtes.

« Ô Yahia, dit l'un d'eux en reprenant son souffle. Je te souhaite longue vie. Grâce à toi nous ne nous sommes jamais autant amusés ! » (pp. 103-105).

RABAH BELAMRI

Regard blessé (1987)

Faussement naïf lui aussi, Rabah Belamri nous conte dans *Regard blessé* les mutations que connaît son pays (la guerre, puis l'Indépendance), pendant que progressivement le jeune Hassan perd la vue. Le jour de l'Indépendance, l'adolescent est à l'hôpital, mais attentif.

Dehors, la fête battait son plein. Les voitures, bondées et parées de drapeaux, sillonnaient les rues, saluant la liberté par cinq coups de klaxon brefs, inlassablement répétés, rythmés par des coups de poing sur la tôle, et des youyous. Les sexes s'étaient mélangés. Comme par enchantement, tous étaient devenus frères et sœurs. Prises dans le tourbillon du désir et de la liberté, les filles se défaisaient de leur voile, de leur pudeur, de leur peur, s'asseyaient sur les genoux des garçons, se laissaient mener dans les vignes désertées par les colons. Comme dans les contes, la fête dura plusieurs jours et plusieurs nuits. D'étranges rumeurs commençaient alors à se répandre. On disait qu'à Alger les vierges étaient devenues rares, et qu'on projetait de prendre des mesures extraordinaires pour ne pas laisser sans mari les filles dépucelées — les premières décisions des nouvelles autorités. Le nombre des filles déflorées étant sans commune mesure avec le nombre d'hommes disponibles, on obligerait chaque « mâle » à prendre en charge de deux à quatre « femelles ». Pour ne léser personne dans la répartition des épouses, on procéderait par tirage au sort. Les noms des femmes seraient inscrits sur des cartons qu'on mélangerait dans un grand sac de pommes de terre.

Au fond de la cour, à l'ombre d'un frêne, l'ancien pensionnaire du pénitencier rêvait tout haut. Il était allongé sur le dos, la tête posée sur un bout de madrier. Hassan, adossé au tronc, écoutait.

« Si le Gouvernement veut bien m'accorder une pension pour chaque femme, je suis disposé à en prendre une douzaine. Je battrai notre Prophète, prière et salut sur lui. Et puis, ça sera vraiment comme au paradis : volupté à perpétuité. »

Il se redressa sur le coude, avala une dernière bouffée de son mégot, et ajouta d'une voix que Hassan ne lui connaissait pas :

« Le chef, ce qu'il a dit l'autre jour, c'est juste. Il ne faut pas que ce pays, maintenant qu'il est libre, devienne un bordel national. » (pp. 108-110).

RACHID MIMOUNI

Le Fleuve détourné (1982)

Rachid Mimouni est un des écrivains les plus prometteurs de cette nouvelle génération. *Le Fleuve détourné* rappelle en son début *Le Polygone étoilé*, et l'on pourra comparer par exemple l'extrait ci-dessous au récit de l'épreuve du pèse-couilles chez Kateb Yacine (p. 96). Mais la critique politique est plus directe chez Mimouni, ne serait-ce que dans le titre, lourdement symbolique.

L'Administration prétend que nos spermatozoïdes sont subversifs. C'est la raison pour laquelle elle a entrepris une vaste opération d'émasculation dont elle nous a expliqué en détail les différentes phases. Je me suis ainsi rendu compte que l'ablation de nos glandes génitales ne constituait pas une mince affaire.

L'Administration est bien consciente de l'énorme tâche qui l'attend. Elle affirme vouloir mener cette action de façon scientifique. Elle en a donc confié l'étude préliminaire à une société américaine. Il fut impossible de mettre en doute les conclusions du document final car les paiements se faisaient en dollars. A la suite de ces recommandations, on importa de l'étranger un matériel ultra-moderne, le seul de son genre en Afrique, et des experts en vue de superviser le travail des cadres nationaux. Comme ces experts n'omirent pas d'apporter des bouteilles de whisky pour l'Administrateur et des parfums de Paris pour sa femme, tout alla très bien. Nous nous trouvons ainsi sous une permanente surveillance médicale. L'Administrateur ne cesse de nous rappeler la sollicitude des dirigeants à notre égard.

« Vous devez vous rendre compte que c'est votre bien-être physique et moral que nous recherchons. Par conséquent, il faut non seulement vous prêter avec complaisance à l'opération projetée, mais vous comporter de façon à en garantir le succès. Notre action s'inscrit dans le sens de l'Histoire : tous les opposants seront impitoyablement éliminés. Nous n'hésiterons pas si nécessaire à recourir à la violence révolutionnaire. Les statistiques montrent clairement que dans tous les pays du monde on assiste à une nette recrudescence de la vérole et de la chaude-pisse. Le socialisme que nous voulons construire saura vous préserver de ces dangereux microbes, et d'autres maladies, d'apparition récente, plus dangereuses encore. Nous avons engagé les plus grands spécialistes mondiaux, qui nous ont démontré, de façon irréfutable, que vos spermatozoïdes sont subversifs. » (pp. 16-17.)

Tombéza (1984)

Tombéza est le type même de l'antihéros. Disgracié dès sa naissance, il collaborera avec les Français pendant la guerre, pour aboutir dans l'Algérie indépendante grâce à des manœuvres inavouables à une situation plus qu'enviable. Cet itinéraire est déjà en lui-même une virulente critique de la société algérienne actuelle. Mais l'auteur ne s'arrête pas là, et son personnage, narrateur à la première personne, sera surtout le prétexte à une systématique et féroce description de tous les « petits » scandales qui s'accumulent dans la vie quotidienne. Celui des « chaînes » (on ne dit pas « queue » en Algérie !) dans les grands magasins d'État n'en est qu'un des moindres. Une des trouvailles de Mimouni est, dans le récit même de son personnage central, de multiplier les niveaux de narration en donnant voix aux différents interlocuteurs de celui-ci. Dans cet extrait ce seront successivement un ancien émigré qui a « compris », puis un monsieur bien mis qui ne comprendra jamais, et enfin l'employé boucher du magasin lui-même.

Au début, me disait-il, j'ai cherché à comprendre, protesté, j'ai demandé à voir le chef, au lieu de baisser les oreilles et de me défiler comme tout le monde. Ça n'a servi qu'à me rendre malade. Aujourd'hui, assure-t-il, j'ai plaisir à m'aligner dans une file, même quand je n'ai pas vraiment besoin du produit mis en vente, j'égaye de galéjades l'attente de mes voisins, je félicite les veinards qui ont pu être servis, je salue joyeusement les employés, les aide par mes propos à calmer l'impatience ou les protestations des clients, je remercie même quand je viens de recevoir à la face le « y'en a plus », assurant au vendeur qui se serait montré désolé, que ce n'est pas de sa faute, qu'il n'y avait pas lieu de dramatiser, qu'à bien y réfléchir ce concentré de tomates ne m'était pas indispensable, que cela ne me dérangerait pas de repasser un autre jour...

Une demi-heure plus tard j'ai retrouvé le monsieur bien mis à la même position dans la rangée, mais qui gueulait comme un putois, car il avait assisté au spectacle des gigots d'agneaux et des amas de steak qui lui filaient sous le nez, alors que le rayon restait vide, les employés se sont d'abord servis, pour eux et pour leurs proches, ensuite il y a eu les deux restaurateurs de la ville, qui se sont éclipsés avec leur butin par une petite porte dérobée, puis le boucher lui-même, qui ne se départit jamais de son arrogance, qui longe la file en poussant devant lui son chariot rempli de produits qu'il revendra deux fois plus cher dans sa boutique, et le monsieur bien mis n'arrête pas de gesticuler, il cherche à ameuter les gens, à provoquer un scandale, mais la plupart haussent les épaules, résignés, ils n'essaient même plus de protester, ils savent que cela ne changera rien, et j'observe le spectacle et je me marre du petit monsieur bien mis qui n'a rien compris, quel intérêt a-t-il, le vendeur, à servir ces innombrables clients qui attendent patiemment, mais les restaurateurs se souviendront de moi, et le boucher, qui à chaque Aïd m'offre régulièrement un magnifique bélier, qui a dégotté une bicyclette pour mon fils, Dieu sait pourtant qu'elles sont introuvables, et mon petit Amin s'évertuait à courir derrière les cycles flambant neuf des rejetons de ceux qui gravitent là-haut, il se donnait l'illusion de s'amuser aussi, avant de s'asseoir sur le trottoir et de continuer à les suivre seulement des yeux, qui par moments se noyaient de larmes, alors que je continuerai à servir les meilleurs quartiers au boucher arrogant pour ne réserver à ces gens que les bas morceaux, c'est tout ce qui reste, à prendre ou à laisser. (pp. 108-110.)

MOULOUD MAMMERI

La Traversée (1982)

Ces récits corrosifs ne sont pas que le fait de la jeune génération, d'ailleurs fort influencée par Kateb Yacine. Un des premiers écrivains algériens de langue française, Mouloud Mammeri, revient au roman en 1982 avec *La Traversée*, qui narre l'itinéraire de désillusion d'un intellectuel. C'est l'occasion de stigmatiser les discours dominants dans la presse et l'idéologie nationales. Ici il s'agit des articles de Djamel Stambouli, dit « Le Go », abréviation pour « Le Grand Obscur »...

La méthode du Go était celle des chamans[1] : la transe initiatique. Ce qu'il appelait dédaigneusement les démonstrations tatillonnes l'exaspérait. Lui allait droit au but et pas le temps de respirer. Le climat du Go était celui de la formule incantatoire et des adjectifs décisifs. Le courrier que l'on recevait après chacun de ses articles était manichéen[2] : une pincée de furieux et des admirateurs éperdus ; entre les deux, rien.

L'admiration depuis peu s'était faite délire, le Go ayant inventé une nouvelle manière. Mourad lui ayant fait remarquer un jour qu'il ne laissait à ses lecteurs qu'une marge de choix très étroite, entre le refus radical et la capitulation sans condition, le Go avait

1. Ancienne religion de Sibérie et de Mongolie.
2. Opposant sans nuances le Bien et le Mal, le Bon et le Mauvais.

jugé efficace de faire une concession à une mode de toute façon inconsistante. Il était le maître à penser d'un groupe d'intégristes[1]. Il savait que ceux qu'il appelait, avec une apparente condescendance et une réelle envie, les Occidentaux, se gaussaient de lui quand ils étaient entre eux. Ils lui reprochaient de n'avoir que des rapports très formels et lointains avec la rigueur scientifique ou même simplement la raison.

Alors le Go s'était mis à dévorer des bibliothèques. Il s'initiait de préférence aux théories les plus modernes dans des ouvrages de vulgarisation, où il traquait avidement tout ce qui semblait confirmer la Vérité, dont de toute façon lui, Djamel, avait la clef. Dès lors il entrelarda ses articles d'un apparat de formules, d'équations, de diagrammes, que les disciples, pâmés, apprenaient par cœur et se passaient sous le manteau.

Aux yeux de Kamel, cependant, ce qui faisait la valeur des articles du Go, c'est qu'il pouvait se fier à eux entièrement. La prose du Go était frénétique mais les affirmations très étroitement surveillées, un tohu-bohu de balises rassurantes : l'authenticité, la spécificité, la révolution, la démocratie (la vraie, pas la démocratie formelle des régimes dits libéraux), les masses (dont les textes du Go étaient chaque fois l'expression de la pensée profonde). Djamel évitait la personnalité arabo-islamique trop galvaudée. Avec lui les sables étaient faussement mouvants ; dans la prose du Go on naviguait, on tanguait quelquefois, mais toujours à vue.

Sur à peu près n'importe quel sujet le Go faisait intervenir le Koran, Averroès[2], qu'il appelait Ibn-Rochd, Ibn-Khaldoun[2], le plus grand sociologue de tous les temps, Marx, Mao, Marcuse[2] une saison et

1. Extrémistes religieux.

2. Accumulation pêle-mêle de références à la culture arabo-islamique et au marxisme, fort pratiquée au mépris de toute cohérence logique ou historique, dans les discours de confusion visés ici.

Lénine à peu près toujours. Au journal on en avait conclu que c'était là l'expression du socialisme islamique et, comme personne ne savait ce qu'était au juste le socialisme islamique, on savait gré au Go de paraître le savoir, lui au moins.

A tout hasard, Mourad avait apporté un texte de Djamel qui attendait depuis longtemps d'être publié.

Ce fut Souad comme toujours qui fut chargée de lire l'article. Souad aimait les incantations du Go. Sa jolie voix se mit à moduler les périodes. Elle en connaissait non seulement le rythme mais le matériau : l'âme, l'ipséité[1], la spécificité, y égale un demi de mv[2]. Les autres laissaient se dérouler la crue de l'oued : ils connaissaient la musique. « Devons-nous aller quêtant notre contribution à la recherche de tel Graal en partance vers l'aurore de l'être par allophonie disruptive[2], ou noyer dans les tropes du Verbe occidental les affligeants ersatz tirés de la réduction d'Occident révolue ? *That is the question.* »

Les dernières syllabes moururent avec la voix pâmée de Souad.

« C'est tout ? demanda Kamel.

— Il y a encore quatre ou cinq lignes... “En Occident les rigueurs du climat, confortant les brumes de l'esprit, parturiaient l'obscurantisme dans un jeu de miroir dialectique, quand sur l'Espagne musulmane brûlaient les mille feux d'une *Weltkultur*[3] encore plus spécifique dans son universalité qu'universelle dans sa spécificité.”... Cette fois c'est tout. » (pp. 10-13.)

1. Même procédé avec des mots philosophiques et mathématiques vidés de sens.

2. Même procédé avec des références à la littérature occidentale, à la rhétorique puis à *Hamlet*, de Shakespeare, dans une confusion cette fois totale.

3. « Culture mondiale », en allemand. L'allusion implicite au modèle hitlérien est probable.

TAHAR OUETTAR

Le Pêcheur et le Palais (1974)

Pour des écrivains de langue arabe comme Tahar Ouettar, on est obligé de tenir compte du délai souvent très grand qui sépare la rédaction de leur texte et la publication d'une traduction française, quand celle-ci existe. C'est le cas pour *Noces de mulet*, un roman truculent se passant entièrement dans une maison close, écrit en 1975, et dont la traduction française ne paraît qu'en 1984. C'est le cas aussi pour *Le Pêcheur et le Palais*, écrit en 1974, et dont la traduction ne paraît qu'en 1986.

Ces deux textes s'inscrivent bien cependant dans ce retour au récit qu'on souligne ici. Pour *Le Pêcheur et le Palais* il s'agit d'un conte aux allusions transparentes, mais sans ce dogmatisme qui alourdissait certains textes antérieurs de l'auteur. Voulant faire cadeau au Prince du beau poisson qu'il a pêché, Ali le pêcheur traverse les différentes Cités du pays (non nommé), et y fait des découvertes surprenantes. Ainsi, dans la Cité des Eunuques où les hommes ont décidé, sans être pour autant récompensés de leur geste, d'être agréables au Prince en abandonnant leur virilité, au grand désespoir de leurs femmes...

— Ali le Pêcheur, il y a dans la cité des eunuques, passe-moi cette expression, quelqu'un qui est prêt à offrir à Sa Majesté le plus beau cadeau qui soit.

— Je suis jeune comme tu le vois mais j'ai pensé que l'attitude de la cité était négative et vile. J'ai donc cherché à faire quelque chose et me suis dit que le plus précieux cadeau à faire à Sa Majesté, c'est de rendre leur virilité aux gens de ma tribu. J'ai mis soixante-dix-neuf mois à inventer un médicament mais quand je l'eus trouvé, ils l'ont refusé.

Ils m'ont accusé de faire de l'opposition. Ils ont rédigé des lettres et des pétitions et ont tout essayé pour trouver quelqu'un qui les ferait parvenir ; en vain ! Ils ont décidé alors de me mettre en quarantaine ; pour eux, c'était une forme d'obéissance et de virilité ; mais pour moi cela équivalait à une condamnation à mort.

Cependant, ce sont leurs femmes qui m'ont permis de vivre, la drogue que j'avais découverte, non seulement rendait viril mais exacerbait la virilité à tel point qu'un seul homme en valait cent.

Je me multipliai donc par cent, par sept cents, par trois mille, pour satisfaire toutes ces femmes au désir exacerbé, que tous les hommes du monde ne pouvaient satisfaire.

Depuis quatre-vingt-dix-sept mois, je remplis les fonctions de millions d'hommes et en échange elles me donnent la vie. Toutes ces filles, tous ces garçons que tu vois, toute cette nouvelle génération sont de moi et de moi seul.

Certains d'entre eux ont pris la drogue de cet infâme guérisseur ; d'autres non ; mais ils ont honte de prendre la mienne.

Être viril, ou le redevenir ou le devenir davantage est devenu une démarche honteuse pour eux et toutes les générations montantes dans cette cité d'eunuques. (pp. 54-55.)

Traduit de l'arabe par Amar Abada.

MOHAMED KACIMI EL-HASSANI

Le Mouchoir (1987)

Le Mouchoir est le premier roman publié de Mohamed Kacimi el-Hassani. C'est là encore une fable satirique, à partir de la vie quotidienne d'un fonctionnaire du Parti.

La semaine touchait à sa fin, quand soudain, et sans que nul ne l'ait pressentie, une formidable vague de piété déferla sur la ville, une crue de sombre épilosité et de gandouras blanches. En l'espace d'une journée, le visage de la ville, les attitudes de ses habitants se transformèrent. On congédia tous les médecins de l'hôpital et l'on fit venir à leur place des imams qui psalmodiaient des versets coraniques, autour du malade étendu sur la table d'opération. Tous les propriétaires de débits de boisson offrirent des Corans à leur clientèle comme dernière tournée et prirent l'avion pour La Mecque. La tenancière du bordel, la célèbre Hadja Khadidja, libéra toutes ses filles, convoqua sa clientèle sur la place publique pour la rembourser intégralement et, en larmes, s'en alla consacrer sa vie au ministère des *Habous*[1] qui lui avait promis un bon poste. Le commandant du secteur vint aussi sur la place faire autodafé avec les cartes d'état-major. Ému, il nous déclara qu'il n'y avait meilleur guide que la main de Dieu, détruisit aussi tout le stock d'armes pour le remplacer par la splendeur de nos armements premiers, la lance et l'épée. Les pharmaciens, à leur tour, détruisirent le stock de médicaments, disant que désormais, ils n'allaient délivrer que les versets conformes aux maux, sans risque d'abus et sans ordonnance. Les plus pieux brûlèrent devant nous leur plus belle voiture et commandèrent des mulets aux villages voisins. La longueur de la barbe étant considérée comme une mesure de la piété, la foule en délire se mit à applaudir le plus vieux communiste de la ville. Celui-ci, ne devant pas être au courant, touché par ce qu'il croyait être une révolution populaire, entama *L'Internationale*. On découvrit la supercherie et on le lyncha aussitôt. Tous les hommes dénoncèrent leur maîtresse. On mit alors toutes les femmes adultères au milieu de la place et on les lapida. Tard le

1. Ministère des Affaires religieuses.

soir, les pierres formaient une grande pyramide que le ministère de la Culture vint inaugurer et classer monument historique. Elle avait dépassé celle de Chéops[1] en hauteur. Les voleurs avouèrent leur crime, nombreux ils étaient ! Nous fîmes venir des menuisiers honnêtes avec des tronçonneuses. Du coup, l'État équilibra sa balance du commerce extérieur, grâce à l'exportation de leurs mains transformées en nourriture pour chiens. (pp. 27-28.)

1. Pharaon qui fit construire la grande pyramide de Gizeh, une des Sept Merveilles du monde.

Il convient pour finir de signaler les écrivains de ce qu'on appelle, faute d'un terme approprié, la « deuxième génération de l'émigration ». En fait, ces écrivains n'ont probablement pas leur place dans une anthologie de la littérature algérienne, car la plupart d'entre eux ne se reconnaissent plus que de très loin dans l'identité culturelle de leurs parents, mais plutôt dans une identité de banlieues de grandes villes européennes où les « origines » ethniques ou culturelles cèdent souvent la place à une conscience de marginalité qui n'a que peu de points communs avec les définitions identitaires consacrées.

Littérairement parlant cette non-définition identitaire est cependant intéressante : peut-il y avoir une littérature d'un espace culturel qui ne se reconnaît dans aucune des étiquettes identitaires qu'on lui propose ?

On verra également cette littérature se produire en grande partie en réponse à une attente documentaire de la société française, que traduisent les choix éditoriaux. Mais cette mise à distance des « Beurs » comme *objet* de description, dans l'attente des lecteurs, n'est-elle pas une manière, pour la société française cette fois, de se protéger des questions sur elle-même que l'existence de groupes ou de textes difficilement localisables culturellement ne manquerait pas de lui poser ?

LEÏLA SEBBAR

Fatima, ou les Algériennes au square (1981)

L'œuvre de Leïla Sebbar est, depuis 1981, la plus féconde et la plus maîtrisée de cet ensemble. Pourtant, à la différence des autres auteurs, qui n'ont le plus souvent publié qu'un seul roman, en grande partie autobiographique, Leïla Sebbar crée des personnages et des situations plus « typiques », plus « représentatifs », au sens sociologique du terme, que directement vécus à la première personne. Ses romans sont donc proches de l'enquête sociologique, même si des personnages comme Shérazade, parcourant la France sur les traces de Rimbaud, ne correspondent pas nécessairement à l'idée toute faite de la jeune « Beur ».

Dans le premier roman consacré par Leïla Sebbar à l'émigration, l'objet de la description est encore en partie la « première génération », à travers les conversations des femmes entendues au square de la Cité par la petite Dalila qui y accompagne sa mère. Ici il s'agit de l'histoire de la jeune fille de l'immeuble dont le père vient de découvrir qu'elle se sert de « Tampax »...

Il était sorti en fureur de la salle de bain, brandissant la boîte jusque dans la cuisine où il la mit sous le nez de sa femme « C'est toi qui prends ça ? » La femme dit « Quoi ? » étonnée de voir cet emballage chez elle, « Où tu l'as trouvée ? Qu'est-ce que c'est ? » Il lui dit « Tu sais très bien. — C'est pas moi... » En même temps, ils comprirent que leur fille commettait plusieurs jours par mois un acte contre nature avec ces tampons. Elle était dans sa chambre. On entendait — Janis Joplin — cette musique qu'ils ne supportaient ni l'un ni l'autre et qu'elle leur imposait dès qu'elle revenait du collège. Le père fonça, boîte en avant. Elle le vit arriver sur elle, ouvrit la bouche pour un cri de surprise qui ne sortit pas avant les coups et les injures contre une vierge qui ne l'était plus, une vicieuse... Le déshonneur. Elle réussit à se lever, reçut les coups qui lui étaient destinés avant d'atteindre la porte de la chambre, puis la porte qui donnait sur le palier, son père sur ses pas. En bas de l'immeuble, elle s'enfuit, ne sachant où elle allait. Le père remonta, jeta la boîte dans le vide-ordures sur le palier, claqua la porte et dit à sa femme que si sa fille ou elle-même se servait encore de ces tampons de putes, il les tuerait. Il sortit, chercha sa fille sans en avoir l'air, et décida de passer la soirée chez un ami tunisien qui tenait un restaurant. Sa fille rentra avant lui et s'enferma dans sa chambre, sans avoir parlé avec sa mère qu'elle trouva absorbée par les pâtes à gâteaux qu'elle pétrissait dans la cuisine, sur la table Formica que la voisine française lui avait donnée avec deux tabourets, avant de quitter la cité pour une ville de province, où son mari avait hérité de la maison de sa mère qui venait de mourir, et où elle l'avait invitée, sachant bien qu'elle n'y viendrait jamais. (pp. 213-214.)

MEHDI CHAREF

Le Thé au Harem d'Archi Ahmed (1983)

Le roman le plus connu de cette « deuxième génération » est celui de Mehdi Charef, qui a également été tourné au cinéma par son auteur. La crudité d'anecdotes comme celle-ci y est pour quelque chose, mais probablement aussi le fait qu'en 1983 les « Beurs » défrayent particulièrement l'actualité. Notons cependant que si Leïla Sebbar dans *Fatima...* insiste sur le fait que ce sont des « Algériennes » dont elle reproduit les conversations « au square », cette référence à une « origine » disparaît en partie dans le groupe multiracial des amis de Madjid, comme dans celui des amis de Shérazade, roman ultérieur de Leïla Sebbar. La mère de Madjid, Malika, a l'habitude de garder Stéphane, le fils de la voisine Josette, pendant que celle-ci, chômeuse et seule, cherche un travail. Un soir de réveillon, désespérée, Josette veut se jeter du balcon.

Revenu avec sa mère, Madjid voit la môme Josette passer une jambe par-dessus la rampe, l'épaule basse, et des bras qui n'ont plus envie de tenir quoi que ce soit. On voit bien qu'elle n'a plus les bras à ça, ni le cœur.

Madjid fonce vers une cabine téléphonique au milieu de la cité, tandis que Malika cause, cause toujours, implore, puis pousse un cri terrible quand Josette enjambe la balustrade.

— Ya ! Chousette, fi pas ça, Chousette, et li Stiphane y va pleurer, y va chercher la maman partout...

La maman se plie sur la rampe, son visage repose à même la rampe, elle doit rien entendre.

La cabine est dévastée, il n'y a plus de combiné, Madjid court vers une autre.

— Je ti li trouve di travail, moi, Chousette, je ti li trouve... à la cantine di l'icole... serveuse, ti seras !... Ya ! Chousette ya Allah a Rabbi[1]...

Malika est à genoux dans la neige. Les voisins se concertent, désarmés.

Les flics, les pompiers, faut téléphoner : personne ne bouge, sauf le gardien de la tour qui arrive en remontant son froc. Il lève la tête, reconnaît Josette et lance aux curieux en soufflant entre ses mains :

— Ah ! c'est la môme qui n'a pas payé son loyer depuis deux mois.

Madjid trouve une nouvelle cabine, mais complè-

1. Exclamation, équivalent de « Oh, mon Dieu ! »

tement vide, celle-là. Les loubards ont emporté toute la machine pour la désosser tranquillement dans une cave et tirer la monnaie.

Madjid fonce chez lui à toute vitesse, se fichant bien de prendre une gamelle sur la neige.

Malika prie Allah en suppliant la môme Josette de ne pas se jeter...

— Ci une bien place... Chousette... ti tranquille à la cantine, travail pour toujours... et ti seras content, ya Chousette... si ti pli... Demain Chousette... ji dimande l'embauche pour toi... ci une place propre, i bien piyi... demain !

Elle prie, Malika, sous son manteau devenu blanc, et ses mains tremblantes montent au ciel, et supplient.

Madjid repart de chez lui. Il a pris Stéphane par la taille, il le colle contre sa poitrine. Il repart comme il est venu, à toute vitesse. Le môme tient dans ses mains un jouet, l'éléphant Babar.

Il n'a même pas vu, Madjid, que sur l'écran le french cancan battait son plein, que les guibolles de ces dames volaient haut et en rythme. Il n'a pas entendu les applaudissements des fêtards en nœud paps. Paris c'est une blonde, qu'elles chantaient, les filles. Il n'a pas entendu, il court, Stéphane dans ses bras, sous la neige. Le môme protège son Babar des flocons.

Malika est toujours agenouillée dans la neige, Josette toujours prête à se jeter dans le vide, toute une moitié de son corps à l'extérieur du balcon.

Madjid pose Stéphane à terre et lui montre sa mère. Le môme lève la tête, écarquille les yeux, s'avance pour se faire bien entendre et crie :

— Maman... maman... t'as vu ce qu'il m'a donné Mehdi... Babar... le petit éléphant !

Josette a bougé la tête. Peut-être voit-elle son fils.

— Maman, t'as vu ?... répète Stéphane en brandissant le jouet vers Josette.

— Ci li pitit... crie Malika en direction du balcon. Ton piti...

Josette se laisse glisser doucement de la rampe et retombe sur le balcon. Malika se lève, prend sa tête dans ses mains et de nouveau fond en larmes.

— Allah akbar ![1] dit-elle.

Et se laisse guider par son fils pour quitter la pelouse blanche.

Madjid se retourne une dernière fois sur Josette, couchée sur le balcon. On n'aperçoit que le genou de sa jambe pliée, sous les flocons qui continuent de tomber. Les rideaux flottent.

Les flics arrivent au bout de l'allée. Malika, Madjid et Stéphane franchissent la petite barrière qui entoure le bâtiment et se dirigent vers le hall d'entrée.

Le concierge discute avec les flics en montrant le balcon où Josette est restée allongée. Malika prend Stéphane dans ses bras et l'emmène à sa mère. Madjid s'allume une gitane, qu'il tient difficilement entre ses doigts gourds. Sa mère pleure, elle marche doucement comme une errante dans la nuit, serrant fortement le petit blond contre elle.

Madjid s'en va vers son bâtiment. Par une fenêtre entrouverte au rez-de-chaussée il entend la télévision. Une voix chante : « BONNE ANNÉE, BONNE CHANCE ». (pp. 160-163.)

AZOUZ BEGAG

Le Gone du Chaaba (1986)

Si Azouz Begag nous conte lui aussi des épisodes hauts en couleur, son héros est cependant (comme l'auteur

1. « Dieu est grand ! »

dont il porte le nom), un élève modèle, et son roman autobiographique, même s'il est plus cru, peut être comparé, dans leur commune glorification de l'école salvatrice, au *Fils du pauvre* de Mouloud Feraoun. Avant l'épisode narré ici, Azouz s'est absenté du lycée le jour d'une fête religieuse musulmane. Il rencontre ensuite un condisciple « français ».

J'eus peur un instant d'avoir été le seul absent, mais il me rassura :

« Non. On était neuf seulement. Mais le prof principal a rendu les rédacs... »

Son visage se fit de plus en plus mystérieux et un sourire se dessina sur ses lèvres.

« Et alors ? dis-je.

— Eh ben, t'as eu dix-sept sur vingt. La meilleure note de la classe. Le prof nous a même lu ta rédaction. Il a dit qu'il la garderait comme exemple... »

J'ai posé mon vélo par terre et demandé plus de détails. L'émotion me paralysait à présent. J'avais envie de grimper aux arbres, de faire des sauts périlleux, de briser mon routier en guise de sacrifice.

« Qu'est-ce qu'il a dit encore ?

— Rien d'autre. Il regrettait que tu ne sois pas là.

— Et où il est maintenant ? »

Je fis quelques pas en direction de la cour.

« Il n'est pas là. Il n'y a personne dans le lycée. Je crois que, maintenant, l'école est finie. »

Par Allah ! Allah Akbar ! Je me sentais fier de mes doigts. J'étais enfin intelligent. La meilleure note de toute la classe, à moi, Azouz Begag, le seul Arabe de la classe. Devant tous les Français ! J'étais ivre de fierté. J'allais dire à mon père que j'étais plus fort que tous les Français de la classe. Il allait jubiler. (p. 224)

NACER KETTANE

Le Sourire de Brahim (1985)

S'il y a probablement une part d'autobiographie dans l'histoire de Brahim, qui a perdu son sourire en même temps que son frère dans la manifestation d'octobre 1961, et le retrouve en même temps que Malika dans la « marche des Beurs » sur Paris en 1983, ce résumé montre assez qu'il s'agit d'abord d'un roman-démonstration, avec les avantages et les inconvénients du genre. Pourtant, quelles que soient les limites littéraires du roman, il était nécessaire de faire échec de façon explicite à tous les discours faux qui fleurissent « sur » la « deuxième génération ». Et ceci, Kettane le fait fort bien. Ici, Brahim est allé à une permanence en France de l'Union nationale de la Jeunesse algérienne.

« Excusez-moi, je peux vous demander quelque chose ?

— Vas-y, frère, tu peux tout demander.

— Je suis étudiant et j'aimerais avoir des renseignements sur les possibilités d'obtenir une bourse. Par ailleurs j'ai un problème de service militaire et j'aimerais m'en dépêtrer.

— Très bien. Nous allons élaborer un plan d'action. Essaie de regrouper des gens dans ton cas et on fera une délégation. »

Brahim découvrit avec stupeur qu'aucun travail n'était fait dans ce sens pour les rares enfants d'immigrés qui comme lui essayaient de s'en sortir.

« Tu sais, il y a beaucoup de problèmes, frère : tiens, par exemple, le volontariat, la réaction tente à tout prix de le briser. »

Brahim demanda de plus amples renseignements sur cet OVNI qu'ils appelaient volontariat.

« Mais c'est la révolution qui continue. Pendant les

vacances d'hiver ou d'été, les jeunes participent aux tâches d'édification nationale.

— Mais les bourses et...

— C'est pareil, c'est dans l'action globale. La jeunesse est le fer de lance de la révolution, il faut continuer le combat des aînés ; viens avec nous. »

Après un après-midi de chaude discussion où ceux qui « savaient » faisaient la leçon aux nouveaux, dans le style M. Jourdain, Brahim rentra la tête pleine. Les mots s'entrechoquaient mais il n'était pas plus éclairé sur son algérianité, ni sur les possibilités d'assouplir ses contraintes matérielles.

Il alla encore une ou deux fois à l'UNJA, et il comprit que tout en habitant la même planète, il ne parlait pas le même langage que ces étudiants. Bien sûr les recruteurs du volontariat essayèrent maintes fois de l'influencer, mais ils apparurent plus comme des flics qu'autre chose. (pp. 83-85.)

FARIDA BELGHOUL

Georgette ! (1986)

Le meilleur roman jusqu'ici de la « deuxième génération » est sans conteste *Georgette !* de Farida Belghoul. Certes, il est construit apparemment sur un schéma connu, celui d'une enfant entre deux légitimités, celle de la maîtresse d'école et celle du père immigré. Mais au lieu de décrire un espace social ou de démontrer une thèse, le roman joue avec ces discours attendus, pour les subvertir à travers l'imaginaire enfantin, et surtout la drôlerie tendre de l'auteur. Ici la narratrice — qui n'a pas de nom dans le roman — nous parle, à sa manière, de son père.

Il m'énerve dès son arrivée. Sans ma permission, il me suit et reste debout à l'entrée de ma porte.

« J'te souhaite pas tu passes c'que j'ai passé, moi. J'en ai constaté des choses imaginables. Imaginables et incroyables... Et l'talien' nationalisé, juste parce qu'il sait écrire son nom au bas d'la feuille, il est chef ! Y t'domine comme un rat, comme un chien. Si tu dis quelque chose, y dit : "Vidé ton placard et va-t'en chez toi..." »

Ça y est ! Il est grimpé, dans sa tête, jusqu'au plafond. Il cogne chez les voisins et il dérange tout le monde en pleine journée tranquille. Ma parole, il perd complètement la mémoire ! D'habitude, il attaque toujours ma mère là-dessus.

« Toi ! T'as la possibilité d'être une reine chez toi. Et tu cours dehors ! tu travailles chez les autres ! Ici, l'ménage, il est pas fait ! Reste chez toi, reste... Moi, j'préfère être à la maison qu'd'aller boulonner. Si j'trouve l'moyen, j'traîne pas dehors comme un chien perdu. »

Voilà ce qui me chiffonne grave pour sa santé : il écoute mal son chef, ensuite il le critique à mort. C'est de la folie ! Le chef lui dit : « Si t'es pas content, va-t'en chez toi » ! Il lui donne l'autorisation de rentrer à la maison. Mon père était d'accord. Pourtant, au lieu de lui serrer la main, il lui saute à la gorge. C'est une famille de dingues qu'on est. Le père étrangle le chef et la fille crève l'œil de la maîtresse !

Pourtant, il est pas toujours fou. Il cause beaucoup avec du feu dans la gorge mais aussi il chante. Sa voix est magnifique ! Il connaît par cœur des refrains et des chansons. D'abord, il se prépare. Il prend le plus beau livre. Toutes les paroles se cachent là. Il le pose fermé sur un mouchoir qui le protège de la toile cirée. Et il l'ouvre. Il se trompe pas de sens : il ouvre le livre à l'endroit. Ensuite, sa voix s'enfonce dans l'air, c'est magnifique tellement c'est beau. Même un lion, si j'en avais un, s'endormirait au paradis à l'entendre.

Un jour, il chante dans sa chambre. Et moi, j'éclate de rire dans mon coin. Je le sais pourtant que c'est idiot de rigoler comme une andouille. Je cours me cacher au cabinet. J'attends là cinq minutes de me calmer un peu. Je ressors, l'air sérieux, vlan ! j'éclate de rire encore. Je retourne en vitesse aux toilettes et je m'enfonce une autre fois la tête dans le trou des chiottes. Non, c'est pas moi qui se moque de mon père.

Souvent, il raconte des choses que je comprends pas. Il parle devant moi. Pourtant, j'écoute ailleurs. Et je suis gênée parce que je lui montre l'inverse : je le regarde bien franchement. En vérité, si mon père me la vend, je n'achète pas sa langue. Je collectionne juste ce qui brille. Tant pis ! Le principal c'est la beauté de sa voix. La sienne, je la paye tout de suite... (pp. 33-35.)

Les auteurs et leurs œuvres

Comme pour l'anthologie, n'ont été retenus ici que les textes les plus importants, et de surcroît accessibles, en français ou en traduction française. Les auteurs de langue arabe étant encore fort peu traduits, si ce n'est sous forme d'extraits insignifiants dans des anthologies, sont donc souvent absents dans ce choix, et c'est regrettable. Cette bibliographie est arrêtée au 31 décembre 1989.

ABA, Noureddine. Né en 1921.
Textes en liaison avec le militantisme, entre autres pour la Révolution algérienne, puis pour la Révolution palestinienne.
La Toussaint des énigmes. Paris, Présence africaine, 1963. Poésie.
Tel el Zaatar s'est tu à la tombée de la nuit. Paris, L'Harmattan, 1981. Théâtre.

ACHOUR, Mouloud. Né en 1944.
Les Dernières Vendanges. Alger, S.N.E.D., 1975. Nouvelles.

AKKACHE, Ahmed. Né en 1926.
L'Évasion. Alger, S.N.E.D., 1973. Roman.

ALI-KHODJA, Jamel. Né en 1944.
La Mante religieuse. Alger, S.N.E.D., 1976. Roman.

ALLOULA, Malek. Né en 1938.
Un des poètes actuels les plus exigeants et les plus sûrs.
Villes et autres lieux. Paris, Christian Bourgois, 1979. Poèmes.

Rêveurs/Sépultures. Paris, Sindbad, 1983. Poèmes.
AMRANI, Djamal. Né en 1935.
Bivouac des certitudes. Alger, S.N.E.D., 1968. Poèmes.
AMROUCHE, Marguerite-Taos. 1913-1976.
Le Grain magique. Paris, Maspéro, 1966. Tradition orale.
BEGAG, Azouz. Né en 1957.
Le Gone du Chaaba. Paris, Le Seuil, 1986. Roman.
Beni ou le paradis privé. Paris, Le Seuil, 1989. Roman.
BELAMRI Rabah. Né en 1946.
Regard blessé. Paris, Gallimard, 1987. Roman.
L'Asile de pierre. Paris, Gallimard, 1987. Roman.
BELGHOUL, Farida. Née en 1958 ?
Auteur du meilleur roman de la « deuxième génération » jusqu'à ce jour.
Georgette ! Paris, Barrault, 1986. Roman.
BENCHEIKH, Jamel-Eddine. Né en 1930.
L'un des meilleurs poètes actuels de langue française, J.-E. Bencheikh, universitaire, est aussi spécialiste de la poétique arabe.
Poétique arabe. Essai sur les voies d'une création. Paris, Anthropos, 1976.
Le Silence s'est déjà tu. Rabat, S.M.E.R., 1981. Poèmes.
BENHADOUGA, Abdelhamid. Né en 1925.
Romancier de langue arabe aux textes souvent très didactiques.
Le Vent du Sud. Alger, S.N.E.D., 1971. Trad. Marcel Bois, S.N.E.D., 1975.
La Fin d'hier. Alger, S.N.E.D., 1975. Trad. Marcel Bois, S.N.E.D., 1977.
La Mise à nu. Alger, S.N.E.D., 1980. Trad. Marcel Bois, S.N.E.D., 1981.
BENMALEK, Anouar.
Ludmila ou le Violon à la mort lente. Alger, E.N.A.L., 1986. Roman.
BOUDJEDRA Rachid. Né en 1941.
Le romancier le plus connu de la « génération de 1970 ». Textes volontiers provocants et jeux intéressants avec l'intertextualité. Présente ses romans depuis *Le Démantèlement* comme « traduits de l'arabe ». Pourtant leur qualité d'écriture n'est pas celle d'une traduction. Occupe depuis 1977 des fonctions semi-officielles en Algérie.
La Répudiation. Paris, Denoël, 1969. Roman.

L'Insolation. Paris, Denoël, 1972. Roman.
Topographie idéale pour une agression caractérisée. Paris, Denoël, 1975. Roman.
L'Escargot entêté. Paris, Denoël, 1977. Roman.
Les 1 001 années de la nostalgie. Paris, Denoël, 1979. Roman.
Le Vainqueur de coupe. Paris, Denoël, 1981. Roman.
Le Démantèlement. Paris, Denoël, 1982. Roman.
La Macération. Paris, Denoël, 1985. Roman.
La Prise de Gibraltar. Paris, Denoël, 1987. Roman.
La Pluie. Paris, Denoël, 1987. Roman.

BOUMAHDI, Ali. Né en 1934.
Le Village des asphodèles. Paris, Laffont, 1970. Récit.
L'Homme-cigogne du Titteri. Paris, Centurion, 1987. Roman.

BOUNEMEUR, Azzedine. Né en 1945.
L'Atlas en feu. Gallimard, 1987. Roman.

BOURBOUNE, Mourad. Né en 1938.
Un des meilleurs romanciers de la « génération de 1970 ».
Le Muezzin. Paris, Christian Bourgois, 1968. Roman.

BOUZAHER, Hocine. Né en 1935.
Les cinq doigts du jour. Alger, S.N.E.D., 1967. Récit.

BOUZAR, Wadi. Né en 1938.
La Mouvance et la Pause. Alger, S.N.E.D., 1982. Essai.
Les Fleuves ont toujours deux rives. Alger, E.N.A.L., 1986. Roman.

CHAREF, Mehdi. Né en 1952.
Le Thé au Harem d'Archi Ahmed. Paris, Mercure de France, 1983. Roman.
Le Harki de Meriem. Paris, Mercure de France, 1989. Roman.

DIB, Mohammed. Né en 1920.
Le plus grand écrivain algérien, avec Kateb Yacine. Abusivement lu comme un écrivain « réaliste » par les uns, « humaniste » par les autres. Son œuvre est avant tout une réflexion toujours renouvelée sur la parole et ses pouvoirs, comme son origine vertigineuse. Parole indissociable de l'amour et de la mort, comme de leur au-delà le plus indicible, sinon dans la perte de l'être.
La Grande Maison. Paris, Le Seuil, 1952. Roman.
L'Incendie. Paris, Le Seuil, 1954, rééd. corrigée, 1967. Roman.

Au Café. Paris, Gallimard, 1956, rééd. Sindbad, 1984. Nouvelles.
Le Métier à tisser. Paris, Le Seuil, 1957. Roman.
Un Été africain. Paris, Le Seuil, 1959. Roman.
Ombre gardienne. Paris, Gallimard, 1961, poèmes. Rééd. Sindbad, 1984. Poèmes.
Qui se souvient de la mer. Paris, Le Seuil, 1962. Roman.
Cours sur la rive sauvage. Paris, Le Seuil, 1964. Roman.
Le Talisman. Paris, Le Seuil, 1966. Nouvelles.
La Danse du Roi. Paris, Le Seuil, 1968. Roman.
Dieu en Barbarie. Paris, Le Seuil, 1970. Roman.
Formulaires. Paris, Le Seuil, 1970. Poèmes.
Le Maître de chasse. Paris. Le Seuil, 1973. Roman.
Omneros. Paris, Le Seuil, 1975. Poèmes.
Habel. Paris, Le Seuil, 1977. Roman.
Feu, beau feu. Paris, Le Seuil, 1979. Poèmes.
Mille houras pour une gueuse. Paris, Le Seuil, 1980. Théâtre.
Les Terrasses d'Orsol. Paris, Sindbad, 1985. Roman.
Ô Vive. Paris, Sindbad, 1987. Poèmes.
Le Sommeil d'Ève. Paris, Sindbad, 1989. Roman.

DJAOUT, Tahar. Né en 1954.
Jeune poète et romancier très prometteur.
Les Chercheurs d'os. Paris, Le Seuil, 1984. Roman.
L'Invention du désert. Paris, Le Seuil, 1987. Roman.

DJEBAR, Assia. Née en 1936.
Parole féminine représentative et en quête renouvelée d'elle-même. Passe par plusieurs « périodes ». Roman psychologique au début, puis deux fresques de la guerre. Très bons textes de recherche ces dernières années, où se croisent les dires de l'Histoire, de la féminité et d'une autobiographie transcendée. Est également cinéaste.
La Soif. Paris, Julliard, 1957. Roman.
Les Impatients. Paris, Julliard, 1958. Roman.
Les Enfants du Nouveau Monde. Paris, Julliard, 1962. Rééd. 10/18. Roman.
Les Alouettes naïves. Paris, Julliard, 1967. Rééd. 10/18. Roman.
Femmes d'Alger dans leur appartement. Paris, Des femmes, 1980. Nouvelles.
L'Amour, la Fantasia. Paris, J.-C. Lattès, 1985. Roman.
Ombre sultane. Paris, J.-C. Lattès, 1987. Roman.

DJEMAI, Abdelkader.
Saison de pierres. Alger, E.N.A.L., 1986. Roman.
FALAKI, Reda. Né en 1920.
Le Milieu et la marge. Paris, Denoël, 1964. Roman.
FARES, Nabile. Né en 1940.
Un des meilleurs poètes et romanciers de la « génération de 1970 ». Son écriture s'inscrit dans ce qu'on pourrait appeler la migration et la marge de lieux où vivre définitivement occultés par les dires de l'Un.
Yahia, pas de chance. Paris, Le Seuil, 1970. Roman.
Un Passager de l'Occident. Paris, Le Seuil, 1971. Roman.
Le Champ des Oliviers. Paris, Le Seuil, 1972. Roman.
Mémoire de l'Absent. Paris, Le Seuil, 1974. Roman.
L'Exil et le Désarroi. Paris, Maspéro, 1976. Roman.
L'Exil au féminin. Paris, l'Harmattan, 1987.
FERAOUN, Mouloud. 1913-1962.
L'un des fondateurs de la littérature algérienne de langue française. Écriture descriptive, grand humanisme, mais conscience aiguë et parfois tragique sous son apparente humilité. Assassiné par l'O.A.S. en 1962.
Le Fils du Pauvre. 1re éd. compte d'auteur 1950. Rééd. revue Paris, Le Seuil, 1954. Rééd. Le Seuil, coll. « Points ». Roman.
La Terre et le Sang. Paris, Le Seuil, 1953. Roman.
Les Chemins qui montent. Paris, Le Seuil, 1957. Roman.
Journal 1955-1962. Paris, Le Seuil, 1962.
L'Anniversaire. Paris, Le Seuil, 1972.
GREKI, Anna. 1931-1966.
L'un des meilleurs poètes de la guerre d'Algérie.
Temps fort. Paris, Présence africaine, 1966. Poèmes.
HADDAD, Malek. 1927-1978.
Même dans ses romans, Malek Haddad est essentiellement lyrique, ce qui souligne sa solitude d'intellectuel face à la guerre, mais aussi à sa langue, ou à son identité.
L'Élève et la Leçon. Paris, Julliard, 1960. Rééd. 10/18. Roman.
Le Quai aux fleurs ne répond plus. Paris, Julliard, 1961. Rééd. 10/18. Roman.
Écoute et je t'appelle (poèmes précédés d'un essai : *Les Zéros tournent en rond.*) Paris, Maspéro, 1961.
HADJ-ALI, Bachir. Né en 1920.
La poésie et le militantisme de Bachir Hadj-Ali sont liés.

Et pourtant dans les pires épreuves, tant avant qu'après l'Indépendance (prison en 1954, résidence surveillée de 1965 à 1971), l'exigence poétique fait de ce poète rare un des plus grands.

Chants pour le 11 décembre. Paris, La Nouvelle Critique, 1961. Rééd. 1963. Poèmes.

L'Arbitraire. Paris, Éd. de Minuit, 1966.

Que la joie demeure. Honfleur, P.-J. Oswald, 1970. Rééd. L'Harmattan, 1981. Poèmes.

Mémoire-clairière. Paris, E.F.R., 1978. Poèmes.

KACIMI EL-HASSANI, Mohammed. Né en 1955.

Le Mouchoir. Paris, L'Harmattan, 1987. Roman.

KATEB, Yacine. 1929-1989.

Le plus grand écrivain algérien, avec Mohammed Dib. Itinéraire diversifié, éternel errant. Il multiplie les registres, faisant se féconder réciproquement le mythe, l'Histoire, le burlesque, le biographique et les techniques d'écriture les plus variées, tout en revenant aux mêmes personnages dans les situations les plus inattendues. « Au sein de la perturbation éternel perturbateur », il a cessé de publier en français depuis 1970, pour se consacrer à une intéressante expérience de théâtre-action en arabe dialectal.

Nedjma. Paris, Le Seuil, 1956. Rééd. coll. « Points ». Roman.

Le Cercle des représailles. Paris, Le Seuil, 1959. Théâtre.

Le Polygone étoilé. Paris, Le Seuil, 1966. Roman.

L'Homme aux sandales de caoutchouc. Paris, Le Seuil, 1970. Théâtre.

KETTANE, Nacer. Né en 1953.

Le Sourire de Brahim. Paris, Denoël, 1985. Roman.

KHALFA, Boualem. Né en 1923.

Certitudes. Paris, Le Club des amis du livre progressiste, 1961. Poèmes.

KREA, Henri. Né en 1933.

La Révolution et la poésie sont une seule et même chose. Paris, Oswald, 1957. Rééd. 1960. Poèmes.

La Conjuration des égaux. Paris, Présence africaine, 1964. Poèmes.

LACHERAF, Mostefa. Né en 1917.

Capturé avec Ben Bella en octobre 1956. Corédacteur du Programme de Tripoli. Théoricien exigeant de la culture algérienne et historien.

L'Algérie, nation et société. Paris, Maspéro, 1965, rééd. 1969. Essai.

LEMSINE, Aïcha. Née en 1942.

La Chrysalide. Paris, Des femmes, 1976. Roman.

MAMMERI, Mouloud. 1917-1989.

L'un des plus importants romanciers algériens, doublé d'un ethnologue éminent. Son écriture qualifiée parfois d'« ethnographique » pour ses premiers romans, se caractérise surtout par une grande lucidité, qui se conjugue avec un sens du tragique donnant à ses textes une indéniable poésie.

La Colline oubliée. Paris, Plon, 1952. Rééd. 10/18. Roman.

Le Sommeil du juste. Paris, Plon, 1955. Roman.

L'Opium et le Bâton. Paris, Plon, 1965. Roman.

Poèmes kabyles anciens. Paris, Maspéro, 1980.

Machaho ! et *Tellem chaho !* Paris, Bordas, 1980. Contes berbères pour enfants.

La Traversée. Paris, Plon, 1982. Roman.

MECHAKRA, Yamina.

La Grotte éclatée. Alger, S.N.E.D., 1979. Roman.

MENGOUCHI et RAMDANE.

L'Homme qui enjamba la mer. Paris, Henri Veyrier, 1978.

MIMOUNI, Rachid. Né en 1945.

Le Fleuve détourné. Paris, Laffont, 1982. Roman.

Tombéza. Paris, Laffont, 1984. Roman.

L'Honneur de la tribu. Paris, Laffont, 1989. Roman.

OUARY Malek. Né en 1916.

Le Grain dans la meule. Paris, Buchet-Chastel, 1956. Roman.

La Montagne aux chacals. Paris, Garnier, 1981. Roman.

OUETTAR, Tahar. Né en 1936.

Le mieux traduit des écrivains algériens de langue arabe. Romans engagés, mais dont le dogmatisme est contrebalancé par un délire intérieur souvent intéressant de certains personnages.

L'As. Alger, S.N.E.D., 1974. Trad. Bouzid Kouza, Paris, Temps actuels, 1983.

Ez-Zilzel (Le Séisme). Alger, S.N.E.D., 1974. Trad. Marcel Bois, S.N.E.D., 1977.

Noces de Mulet. Beyrouth, 1978. Trad. M. Bois et B. Guichoud, Paris, Temps actuels, 1984.

Le Pêcheur et le Palais. Constantine, 1980. Trad. Amar Abada, Paris, Messidor, 1986.

SEBBAR, Leila. Née en 1941.
Excellente interprète de ce que l'on pourrait appeler une nouvelle culture des jeunes de banlieues, parmi lesquels la « 2e génération » tient une place importante.
Fatima, ou les Algériennes au square. Paris, Stock, 1981. Roman.
Shérazade, 17 ans, brune, frisée, les yeux verts. Paris, Stock, 1982. Roman.
J. H. cherche âme sœur. Paris, Stock, 1987. Roman.

SEBTI, Youcef. Né en 1943.
L'Enfer et la folie. Alger, S.N.E.D., 1981. Poème.

SÉNAC, Jean. 1926-1973.
A la fois esthète raffiné et poète au service de son peuple, Jean Sénac a décidé de se fondre avec celui-ci, dans son écriture comme dans son inlassable activité d'animateur. Sera cependant progressivement marginalisé par beaucoup d'intolérance, et assassiné mystérieusement en 1973.
Poèmes. Préface de René Char. Paris, Gallimard, 1954.
Matinale de mon peuple. Rodez, Subervie, 1961. Poèmes.
Citoyens de beauté. Rodez, Subervie, 1967. Poèmes.
Avant-Corps. Paris, Gallimard, 1968. Poèmes.
Anthologie de la nouvelle poésie algérienne. Paris, Saint-Germain-des-Prés, 1971.
Dérisions et Vertige. Marseille, Actes-Sud, 1983. Préface de J.-E. Bencheikh. Poèmes.

TENGOUR, Habib. Né en 1947.
A commencé par un humour de l'inattendu, souvent corrosif. Ses derniers textes sont plus graves, mais d'une finesse et d'une sensibilité acérées.
Tapapakitaques. Paris, P.-J. Oswald, 1977.
Le Vieux de la Montagne. Paris, Sindbad, 1983.
Sultan Galièv. Paris, Sindbad, 1985.

TIBOUCHI Hamid. Né en 1951.
Soleil d'herbe. Paris, Chambelland, 1974. Poèmes.
Parésie. Paris, L'Orycte, 1982. Poèmes. Dessins de Ali Silem.

Principales études critiques publiées sur la littérature algérienne

ARNAUD, Jacqueline. *Recherches sur la Littérature maghrébine de langue française. Le cas de Kateb Yacine.* Paris, L'Harmattan, 1982.

BONN, Charles. *La Littérature algérienne de langue française et ses lectures.* Sherbrooke, Naaman, 1974.

Le Roman algérien de langue française. Paris, L'Harmattan et Montréal, P.U.M., 1985.

Problématiques spatiales de roman algérien. Alger, E.N.A.L., 1986.

DEJEUX, Jean. *Littérature maghrébine de langue française.* Sherbrooke, Naaman, 1973.

Dictionnaire des auteurs maghrébins de langue française. Paris, Karthala, 1984.

Itinéraires et contacts de cultures. Paris, Université Paris-Nord et éditions de L'Harmattan, n°s 10 et 11, 1990 : « Littératures du Maghreb ».

Plusieurs centaines de thèses sont en cours ou terminées. Elles sont répertoriées sur une base de données perpétuellement tenue à jour par le Centre d'Études littéraires francophones de l'Université de Paris-Nord, à Villetaneuse (Paris-13). Une édition sur papier d'une première liste (plus de 700 titres) est prévue pour mai 1990.

Table

DEUXIÈME PARTIE

LES QUESTIONNEMENTS
DE L'INDÉPENDANCE

TROISIÈME PARTIE

PERSPECTIVES ACTUELLES

Dans Le Livre de Poche

Nouvelle approche

Composition réalisée par C.M.L., Montrouge.

IMPRIMÉ EN FRANCE PAR BRODARD ET TAUPIN
Usine de La Flèche (Sarthe).
LIBRAIRIE GÉNÉRALE FRANÇAISE - 6, rue Pierre-Sarrazin - 75006 Paris.

ISBN : 2 - 253 - 05309 - 0 30/4287/6